LO QUE NADIE TE CONTÓ
DEL EMBARAZO Y DEL POSPARTO

CONSULTORIO PAIDÓS

DIRECTORA DE COLECCIÓN: Marcela Luza

Mario Sebastiani

LO QUE NADIE TE CONTÓ DEL EMBARAZO Y DEL POSPARTO

CONSULTORIO PAIDÓS

Diseño de cubierta: Gustavo Macri

Sebastiani, Mario
    Lo que nadie te contó del embarazo y del
posparto.- 1ª ed.- Buenos Aires: Paidós, 2011.
    176 p.; 22x15 cm.- (Consultorio Paidós)

    ISBN 978-950-12-4821-0

    1. Maternidad. 2. Puerperio. I. Título.
    CDD 362.83

Para contactar al autor: msebasti@fibertel.com.ar

1ª edición, 2011

© 2011, Mario Sebastiani

© 2011 de todas las ediciones en castellano,
    Editorial Paidós SAICF
    Independencia 1682/1686, Buenos Aires
    E-mail: difusion@areapaidos.com.ar
    www.paidosargentina.com.ar

Queda hecho el depósito que previene la Ley 11.723
Impreso en la Argentina – *Printed in Argentina*

Impreso en Buenos Aires Print,
Sarmiento 459, Lanús,
en febrero de 2011

Tirada: 7.500 ejemplares

ISBN 978-950-12-4821-0

ÍNDICE

*Para Sofía, Victoria,
Emilia y Augusto.*

PRÓLOGO

El que diga que la maternidad es sencilla es deshonesto o distraído. En este contexto, y aceptando de antemano que usted puede o no estar de acuerdo con esta primera afirmación, lo invito a recorrer esta obra, continuadora del diálogo iniciado con las embarazadas y sus parejas con *Embarazo ¿dulce espera?* y *Claroscuros del embarazo, el parto y el puerperio*. Fue muy estimulante el éxito de estos libros, cuyo objetivo no era constituirse en guías o manuales sino acompañar a las embarazadas desde una escritura coloquial en el camino de conocimiento del proceso de gestación y nacimiento de sus niños en relación con las modificaciones que se producen en la madre y su entorno familiar. Envalentonado por la buena repercusión obtenida con ellos, ahora me aboco a la tarea de focalizar las dificultades implicadas por un embarazo y un nacimiento.

Parto de la siguiente base, muy racional: no hace falta enseñar a nadie a ser feliz pues este sentimiento surge de manera espontánea; en cambio, resulta muy importante ayudar a las futuras mamás y papás a transitar las dificultades que conlleva el embarazo y el nacimiento de un niño. Sobre todo porque dichas etapas son –a los ojos de la sociedad en general– períodos llenos de dicha y satisfacción mientras que –a mi juicio y por lo aprendido de las experiencias con embarazadas y puérperas– nada está más lejos de la realidad. Las dificultades, los pensamientos ambivalentes, los momentos de desazón y miedo son casi continuos durante este proceso para la mayoría de las madres. Dado que vivimos en una sociedad pronatalista, las mujeres tienen pocas posibilidades de compartir estos pensamientos con el resto de las personas. De hacerlo, podría endilgárseles depresión, exageración o falta de agradecimiento. Por ello, siempre he tratado de alejarme de los manuales de embarazo o de las publicaciones que, de manera conductista, explican en qué momento del mismo se encuentran y qué deben hacer en las distintas etapas del embarazo. Considero que solo son útiles para aquellas mujeres que necesitan saciar su curiosidad y ver el mapa completo del viaje en el que se encuentran embarcadas. En este libro, en cambio, mi punto de interés se ha centrado en servir de ayuda a las embarazadas cuando el recorrido del viaje no se parece al imaginado, soñado o fantaseado. En este sentido, desde estas páginas trato de desalentar el mito de una madre abnegada como causa directa de un hijo perfecto, utopía que debe ser enfrentada y –por qué no– evitada.

La asistencia a la puérpera siempre me ha motivado de manera particular. En efecto, frente al embarazo –casi inmodificable desde el exterior– y al parto –una pura incógnita–, el puerperio posee características similares y complejas, y la prevención resulta fundamental a los efectos de no empañar un momento de trascendencia suprema como el nacimiento de un hijo. Durante el embarazo, las mujeres se encuentran acompañadas por su médico, asisten a sesiones de gimnasia, a los cursos de preparación psicofísica para el parto. Durante el parto y la internación se encuentran su pareja y/o algún integrante de la familia, el obstetra, la partera y el personal de enfermería, todos actores al servicio de la mamá y el cuidado de su bebé. En el puerperio, en cambio, la madre se topa con soledad, dudas, agotamiento y dificultades físicas, biológicas y emocionales que pueden afectar ese período tan fundamental de su vida. En esta etapa, la preocupación médica o del personal de la salud suele limitarse a que no haya problemas en las cicatrices, a evitar infecciones y a que la recuperación física se logre satisfactoriamente en el tiempo. Los cansancios, las dificultades y la ambivalencia de sentimientos frente a la lactancia, las dificultades en la comunicación con su bebé, la nueva relación de pareja y de familia, la respuesta de los familiares y amigos, la vuelta al trabajo, por citar tan solo algunos de los problemas más frecuentes en el puerperio, cobran una inusitada importancia para las mujeres, que suelen tener que manejar y armonizar todas estas cosas a la vez casi sin asesoramiento, en soledad, y basándose solo en su intuición. En otras épocas, las mujeres podían echar mano de reuniones familiares con abuelas, madres y tías, que transmitían sus experiencias y que a través de la charla se enriquecían unas a otras. Hoy en día, este escenario ha prácticamente desaparecido, de ahí que los libros ocupen un espacio central en la búsqueda del crecimiento y el conocimiento personales.

No es raro que de la *dicha de la maternidad* se pase a la *tiranía de la maternidad*. La idealización del rol materno favorece la permanencia de la mujer en el hogar, la dedicación exclusiva al hijo, mientras el hombre sigue siendo un personaje externo al hogar y competitivo en la sociedad. Cada vez más, sin embargo, los hombres acompañamos este camino, realizando un esfuerzo notable, habida cuenta de la escasa a ninguna preparación que tenemos en los menesteres de la paternidad y la familia.

Este libro renueva mi compromiso de asistencia a las parejas en un momento crítico –en todos los sentidos de la palabra– de sus vidas y fundacional de sus nuevas familias. Creo que la lectura de estas páginas con antelación al parto puede modificar positivamente la experiencia del nacimiento y, sobre todo, puede resultar una ayuda para que las adaptaciones a las que deberá someterse una pareja en el futuro sean más eficaces y racionales. Lo he escrito en mi calidad de obstetra, de hombre, de padre y de marido. Ojalá puedan disfrutarlo y constituya un aporte valioso a la inigualable experiencia del nacimiento de un hijo y de una familia.

Mario Sebastiani,
marzo de 2011

CAPÍTULO 1

LO QUE NADIE ME CONTÓ

Proyecta lo difícil, partiendo de donde aún es fácil.
Realiza lo grande partiendo de donde aún es pequeño.
Todo lo difícil comienza siempre fácil.
Todo lo grande comienza siempre pequeño.

LAO TSÉ

Podría decirse que cuando un niño llega a este mundo nacen dos nuevas personas: un hijo y una madre. Ninguno de los dos sabe cómo reaccionará ante la nueva situación y esto es válido no solo para las madres primerizas sino también para aquellas mujeres que ya tienen hijos.

Han quedado atrás las dudas sobre si se estaba embarazada o no, si se había logrado la debida planificación del embarazo, si era el momento adecuado para "tenerlo o no tenerlo". Ha pasado ya la excitación de los primeros días hasta la confirmación en la primera ecografía con latidos fetales positivos, la difícil elección del obstetra o de la maternidad para el nacimiento del niño. También los primeros estudios para descartar problemas cromosómicos en el bebé o para conocer su sexo. Llegaron a su fin los temores frecuentes ante la posibilidad de un parto prematuro, la ruptura de la bolsa, de un parto vaginal o de una operación cesárea, así como la habitual pregunta "¿me daré cuenta cuando llegue el trabajo de parto?".

El niño ha nacido y es toda una realidad. ¿Y ahora?

¿FIN O PRINCIPIO?

Es aceptable pensar el nacimiento de un niño como fin o como principio, pero en realidad se trata de la continuación de un proceso que se inició con la llegada del embarazo, la aceptación del mismo y siguió con el nacimiento y la crianza de un niño. Es un continuo, sí, pero ya nada será igual. La fantasía de las mujeres es muy generosa cuando creen que una vez nacido el bebé, luego de un período relativamente breve, se recuperarán las rutinas diarias, el trabajo o la vida social tan solo con el agregado de un niño al que habrá que adaptar a la vida de uno. Mucho me temo que, por lo menos al principio, somos nosotros los que nos adaptamos a la nueva vida que nos impone la llegada de un hijo. Si volvemos a la pregunta, fin o principio, particularmente me inclino a pensar que ahora empieza lo más medular. El motivo del embarazo ha sido tener un hijo. Podríamos decir entonces que el embarazo es un *puente* entre un deseo y un nacimiento. Pero el niño ha llegado y ahora no hay vuelta atrás: solo queda seguir hacia adelante y bailar como mejor podamos.

Es comprensible que muchas mujeres tengan la ilusión de que con el fin del embarazo se termina el tedio propio de un largo camino en el que no se tuvo la posibilidad de conducir; luego, en cambio, se concreta la ansiada necesidad de comenzar una nueva etapa en la que podrán ser verdaderas actoras y conductoras. En estos términos efectivamente el parto significa un final. Pero al mismo tiempo se inicia una etapa –a mi juicio notablemente más dificultosa– donde las situaciones no suceden por inercia como durante el embarazo, una etapa en la que la madre es protagonista y en la que experimentará intensas modificaciones en lo físico y emocional, en su personalidad y su vida cotidiana. Digámoslo con todas las letras: los niños nos cambian y nos mostrarán lo peor y lo mejor de nosotros mismos. Todo aquello que imaginábamos ha quedado atrás y ahora deberemos enfrentarnos a estos cambios tanto externos como internos; los momentos placenteros serán muy fáciles de vivir, mientras que los cambios negativos o dificultosos que nos afectan en nuestro ser y en nuestra vida cotidiana nos sumergirán en terrenos inexplorados de dudas, cambios emocionales y modificaciones de nuestra personalidad.

A diferencia de otros momentos difíciles, el puerperio y la vida después del parto no nos permiten tomar distancia y reflexionar sino que nos sumergen en una nueva vida donde de manera vertiginosa habrá que adaptarse a los cambios, al cansancio, a los momentos de confusión, a los molestos pensamientos ambivalentes y muchas veces aun a la infelicidad. Esto no lo he teorizado ni simplemente estudiado sino que lo he vivido y escuchado con una frecuencia inusitada; la simple mención o la lectura de esta situación suele provocar la crítica y el espanto de una sociedad entera que ve en el nacimiento de un bebé una historia color de rosa. La sociedad, contenta; las mujeres, ¡desesperadas!

¿POR QUÉ NO ESTAMOS PREPARADOS?

En vez de ayudar a la nueva madre con elementos concretos, la sociedad en general y las mujeres en particular –abuela, madre o amigas–, tan solo se limitan a la celebración de la maternidad.

El pronatalismo de nuestra sociedad hace del nacimiento un festejo, pero no ofrece los elementos para que esta sea una etapa de crecimiento. Lamentablemente, el crecimiento siempre viene de la mano de dificultades, problemas y dolores. Una gestación es un proceso que encierra una incógnita y como tal implica dudas, sufrimientos, dolores; en definitiva, es otra crisis más. Con respecto al nacimiento de un hijo, son varios los motivos por los cuales la preparación para sobrellevarlo con destreza es casi siempre insuficiente. Por un lado, es habitual que las mujeres asistan a clases o cursos de preparación psicológica y física para el parto; sin embargo, la mayor parte de la temática que abarcan estas reuniones se centra en los aspectos vinculados con el embarazo y fundamentalmente con el momento del parto. A mi juicio, es necesario ponderar o armonizar de manera adecuada los aspectos relacionados con el embarazo, con el cuerpo, con el parto y con el puerperio. La gran carga de ansiedad que experimenta la mujer y su pareja en esta etapa nos lleva a jerarquizar aquello que viven durante el embarazo y el momento y la forma del nacimiento. Sin embargo, considero que no es mucho lo que se puede modificar tanto en los aspectos concernientes al embarazo como en el comportamiento durante el parto. En cambio, convencido de las dificultades del período puerperal, es necesario jerarquizar la información sobre la etapa posterior al nacimiento del bebé, en la que la mujer se siente sola, no asiste a cursos informativos, no tiene tan cerca a su médico o a la partera, y en la que todo se desarrolla en un clima signado por el vértigo o por la tediosa y cotidiana rutina de "pis-caca-pañal-teta/ mamadera-provechito-cólicos". Han hecho el curso para el embarazo y el parto, han recibido alguna mención sobre el puerperio y su manejo pero, sin duda, no hay oferta de cursos para criar un hijo y para reflexionar sobre cómo será la vida luego de un nacimiento. No es que no haya habido intentos, pero ir a un encuentro con otras madres, con bebés en brazo, con teta para dar, con cambio de pañales en el medio de los relatos, no suele ser nada sencillo, por lo que la gran mayoría ha tenido como destino el fracaso. No siempre lo necesario es práctico.

El nacimiento tiene inicio pero no final, y este período, quizás por su duración, será especialmente crítico. Las personas se desempeñan mejor en situaciones críticas cuando han sido debidamente alertadas e informadas sobre la ocurrencia y sus consecuencias.

LAS ABUELAS NO CUENTAN...

¿Por qué las abuelas no cuentan? ¿Por qué las amigas que ya han tenido hijos no hablan? ¿Por qué la mayoría de las personas se muestra proclive a mantener el cliché que imprime la sociedad con respecto a que lo mejor que puede sucedernos es tener un hijo?

No tengo respuesta pero así como me hago sin miedo estas preguntas también debo admitir que la inmensa mayoría de las mujeres y aun de los hombres suele expresar con vehemencia que tener hijos ha sido lo mejor que les ha sucedido en la vida. Frente a esta taxativa definición (¿será verdad?) quizás me quede, antes de la derrota, la necesidad de aceptar que el nacimiento de un hijo ha de ser una experiencia difícil en sus inicios pero que, con el correr de los días, meses o años, solo perdura el recuerdo de aquellas situaciones que nos han resultado placenteras y olvidamos las conflictivas. También con los años he aprendido que nada es más cierto que el aforismo que dice "chicos chicos, problemas chicos; chicos grandes, problemas grandes". Es bueno recordarlo puesto que el inicio es dificultoso por la escenografía del puerperio, pero los problemas se acrecientan a medida que los hijos crecen. Resulta útil recordar a nuestros padres angustiados ante nuestras primeras salidas nocturnas u otras situaciones de riesgo para ponderar en su justa medida los cólicos del bebé, sus llantos o los desastres que harán cuando tengan un puré de zapallos en su sillita. Más de una vez, los padres van a sentir ganas de "tirar al bebé por la ventana" y más de una vez los humoristas han dicho que se van a arrepentir de no haberlo hecho. Esta viñeta es sumamente real, aunque a algunos no les guste admitirlo y otros opten por la propia censura. Pero los sentimientos no tienen filtro. La racionalidad dice que usted no debería enojarse cuando su hijo llora, pero la realidad es esquiva a estas definiciones.

Las invito entonces a quejarse y a dejar que los sentimientos fluyan tal como se presentan y se viven. Sin embargo, y sin empecinarnos en definiciones, debo admitir que la expresión de los sentimientos negativos frente al nacimiento de un niño no son bien recibidos ni por los amigos, ni por los familiares y probablemente tampoco por las parejas. Creo que existe una suerte de censura social mediante la cual se escucha con mejores oídos que lo mejor es tener hijos, cerrando, de manera festiva y natalista, el diálogo a una reflexión que permita a mujeres y hombres tener la libertad suficiente para expresar sus sentimientos ambivalentes y pedir la ayuda necesaria para poder sobrellevarlos.

La censura existe y las parejas perciben esta situación, por lo que no se sienten libres de expresar algunas situaciones difíciles de sobrellevar: el cansancio que por momentos llega al agotamiento; el llanto del bebé y el desorden que se apodera de la casa; los sentimientos en tobogán que se suceden a lo largo del día con respecto a la llegada del nuevo niño; la noche que los encuentra solos –o en íntima soledad "de a dos" tratando que el bebé duerma para poder buscar la necesaria fuerza que otorgará un breve descanso...

Nadie nos cuenta sobre estas cosas, como si el hecho de vivirlas sin armas, en una novedosa exploración y carentes de información, fuera divertido, necesario o punitivo. En todo caso, si alguna información recibimos, fue referida pura y exclusivamente a cómo cuidar al bebé... Tal vez sea fundamental y necesario también saber cómo cuidarnos a nosotros mismos.

A la vez, les guste o no, las madres han sido modeladas por sus propias madres e invariablemente incluirán lo bueno y lo malo de haber sido hija, modelando un estilo propio pero no auténtico ni único.

Las fantasías y la realidad

Es frecuente escuchar que una cosa eran las fantasías sobre el futuro nacimiento del niño y otra muy distinta las situaciones reales vividas en el puerperio. Sucede lo mismo con las expectativas que ofrecen un viaje, un matrimonio o un nuevo trabajo. En los viajes –para utilizar un ejemplo habitual– la mayoría de las veces nos imaginamos todo lo bueno, ordenado y excitante que nos resultará la experiencia por venir. Nadie piensa en la posibilidad de la pérdida de las valijas, los atrasos en los horarios de los transportes, la incomodidad de los cuartos de hotel, la molestia de comer siempre afuera, la rutina que nos invadirá, o el inesperado humor de aquellos que nos acompañen. Solo imaginamos lo bueno que puede pasarnos; es más, si alguien ha tenido alguna experiencia desagradable, hacemos votos para que a nosotros no nos suceda o bien estamos convencidos de que la desgracia es ajena y no propia. Lo mismo vale para la llegada de un hijo. Rápidamente quedarán atrás las imágenes televisivas o publicitarias donde una madre abraza a su hijo en paz, donde papá, mamá y bebé sonríen felices ante el *flash* de una cámara fotográfica, donde la leche fluye sin dificultades por los pechos alimentando al niño, y donde madre y bebé, en una sinergia perfecta, duermen pacíficamente recuperando energías perdidas. Estas imágenes –bellísimas por cierto– obedecen al necesario *marketing* que pretende vendernos ciertos productos y contrastan agresivamente con el caos propio de un nuevo niño en la casa.

¿Es tan dramático?

No es tan dramático, pero ciertamente se habrá ingresado en una nueva etapa de la vida en la que habrá que recordar dos aspectos que no son fáciles de armonizar. El primero y más sencillo de aceptar es que "tener un hijo es algo importante –para algunos lo mejor– que nos ha pasado en la vida". El segundo es que no ha nacido una sola persona sino dos: han nacido un niño y una madre que no sabe bien cómo será su vida. También ha nacido una familia cuyo destino además –y siempre– será incierto.

Es bueno que se acepten con humildad estas situaciones y se busque en la información la fuerza necesaria para llevar adelante esta nueva y fructífera etapa. El éxito dependerá de la armonización entre las necesidades de la mujer como tal y sus necesidades como madre. Las necesidades de su hijo, por lo menos en esta primera infancia, serán medidas. Evite embarullarse con las obligaciones que erróneamente le imponen la sociedad en general y la médica en particular.

POR LO TANTO...

Prepárese para aceptar que:

- Los mitos no se condicen con la realidad.
- La realidad muchas veces supera todo lo que le han contado.
- La realidad es como es y no como deseamos que sea.
- No hay un solo nacimiento sino dos: el del bebé y el de la mamá.
- Papá, mamá y bebé constituyen una familia.
- Ser familia no implica dejar de ser pareja.
- Es normal tener pensamientos ambivalentes.
- Es probable que en este proceso se pierda el sentido del humor y es hora de intentar recuperarlo.

Capítulo 2

LA SALUD DESPUÉS DEL PARTO

Lo que vale es solamente el ahora:
pero este ahora es por su naturaleza algo que cambia
permanentemente.
Otro ahora ha entrado en su lugar.

MARCEL PROUST

Para comprender la compleja situación a la que se enfrentan las mujeres luego del parto debemos recordar que los cambios físicos o fisiológicos inducen cambios emocionales. El embarazo y el puerperio son claros ejemplos de una situación que produce una verdadera modificación o esfuerzo en la estructura de una persona. Desde hace aproximadamente 60 años, la medicina ha acuñado el término *estrés* para demostrar cómo el organismo –de manera natural y a través de las hormonas de la corteza cerebral o de las glándulas suprarrenales– se defiende de las agresiones del medio externo. Incluso se ha logrado identificar tres etapas de un cuadro clínico que se denomina *síndrome de adaptación*. La primera etapa es de agresión o daño; la segunda, de resistencia; y la tercera, de agotamiento. Esta última se manifiesta si la situación que produce el estrés se prolonga en el tiempo. Esta revelación fue tan importante que muchos especialistas en endocrinología (aquellos que diagnostican y tratan las enfermedades de las glándulas que segregan hormonas) llegaron a creer que una vez que el funcionamiento hormonal se hubiera conocido en su profundidad y en su totalidad, la psiquiatría iba a vivir días aciagos o aun desaparecer o bien encontrar un nuevo lugar, puesto que las hormonas hubieran sido el tratamiento de elección de los trastornos psicológicos. Curiosamente, tiempo atrás se utilizaron hormonas para el tratamiento de episodios de letargo y cansancio propios del hipotiroidismo, la excesiva ansiedad del hipertiroidismo, o las modificaciones propias del exceso o déficit de glucosa en la sangre. Muchas de estas afecciones eran reconocidas como entidades psiquiátricas y recibían un tratamiento inadecuado.

Hoy sabemos en cambio que, aun con grandes lagunas en el conocimiento y con dificultades en la comprensión, en parte el organismo humano debe mantener un delicado equilibrio en el balance hormonal para lograr un correcto mantenimiento general, a punto tal que se acepta que el equilibrio fisiológico de las hormonas y su repercusión en los estados emocionales son muy delicados.

Cuántas modificaciones...

La mujer moderna necesita volver rápidamente a sus actividades. Tan solo algunas décadas atrás, las mujeres no trabajaban o lo hacían solo las de menores recursos. La internación luego del parto se prolongaba durante una semana y la cuarentena no solo se refería a la abstinencia sexual sino a todos los menesteres inherentes a los cuidados de la casa. En la actualidad, la naturalidad y la concepción fisiológica del nacimiento, la brevedad de los partos así como la seguridad de la operación cesárea, han acelerado los tiempos de adaptación. Pero los estilos de vida propios de cada época poco modifican los conocimientos fisiológicos, por lo que cuando se observa la fisiología del embarazo, del parto o del puerperio, bajo una estricta mirada biológica, se advierte que cada porción y cada célula del organismo materno es sometido a una notable modificación y esfuerzo. Recordemos que el útero habrá crecido por lo menos 500 a 1.000 veces en su tamaño; el volumen sanguíneo eyectado por el corazón se incrementa un 22%; el volumen de sangre en los vasos se incrementa en un 50% (aumenta de 4 a 6 litros) y algo similar sucede con la respiración, en la que cada vez que una embarazada exhala o inhala, moviliza un 39% más de aire; la cantidad de hormonas se multiplica de manera extraordinaria y las disminuciones inherentes a los depósitos de hierro y calcio, que no siempre pueden ser suplidas por una adecuada dieta, pueden afectar la salud a futuro de las mujeres. Estas modificaciones, que son apenas algunas de las que ocurren en el organismo, tienen implicancias significativas en la salud de la mujer, si tenemos en cuenta que el proceso de gestación puede desencadenar anemia, diabetes o hipertensión arterial o favorecer infecciones, por citar solo las condiciones clínicas más frecuentes.

Pensemos que, tan solo cien años atrás, la muerte de las madres debido a las complicaciones del embarazo o las inherentes a los partos prolongados y obstruidos era un hecho absolutamente frecuente. Se sabe que en la maternidad más importante de París, en 1890, morían 1 de cada 10 mujeres; otras, en cambio, quedaban con secuelas invalidantes por el resto de sus vidas, y este es un escenario aún frecuente en algunas zonas de África. Es muy probable que, a diferencia del miedo que experimentan hoy, en el pasado las mujeres hayan sentido un verdadero pánico frente a los embarazos.

Gracias a los controles de la salud, los antibióticos, y los avances en la anestesia, tanto el embarazo como el parto se han convertido en eventos relativamente seguros, a punto tal que uno de los ejes de la discusión pasa por cómo desmedicalizar a la gestación y el parto, para volver a un escenario más natural y antropológico y menos tecnológico.

Las hormonas

Las hormonas son mensajeros químicos que se producen en distintas glándulas que poseemos en nuestro organismo; actúan de manera casi selectiva o generando modificaciones en algunas células y su trabajo es el de inducir que las células desarrollen una actividad específica. Los órganos que producen hormonas se llaman glándulas.

Todas las actividades de nuestro organismo se encuentran moduladas por la actividad de las hormonas y de alguna manera controlan nuestra temperatura, el crecimiento, la digestión o las reacciones frente al estrés.

La concepción, el embarazo, el parto, la lactancia y el puerperio son todas etapas que se encuentran fundamentalmente moduladas por fenómenos hormonales.

Ovulación

La ovulación consiste en la liberación, por parte del ovario, de un óvulo –la gameta sexual femenina– que, al ser fecundado por un espermatozoide, forma un huevo que es la célula primigenia de un nuevo ser. Para lograr una adecuada ovulación, se requiere de la presencia y estímulo de dos hormonas que son liberadas por el hipotálamo y la hipófisis: la hormona folículo estimulante (FSH) y la hormona luteinizante (LH). La FSH estimula la maduración de los folículos en el ovario, mientras que la LH provoca la liberación del óvulo hacia la cavidad abdominal donde seguramente en el tercio externo de la trompa se encontrará con los espermatozoides. Si no hay concepción, se producirá la menstruación que es la expresión de un embarazo que no ha ocurrido. Curiosamente muchas mujeres consideran que la menstruación es una consecuencia de la ovulación; sin embargo, es frecuente ver que la primera causa de esterilidad es la falta de ovulación en mujeres que sin embargo menstrúan habitualmente.

CONCEPCIÓN Y EMBARAZO

Para la concepción –o sea, para la entrada del espermatozoide en el óvulo– se requiere de distintas hormonas, así como la formación del endometrio que es el tejido que cubre el interior del útero y donde se originará la anidación del huevo. En el caso de que no haya embarazo, la capa celular de endometrio que se ha formado se eliminará como parte del proceso menstrual. Una vez lograda la concepción, la aparición de las hormonas denominadas gonadotrofinas coriónicas es tan espectacular que muchas mujeres se dan cuenta de su embarazo aún antes de la fecha en la que debería aparecer la menstruación debido a los síntomas que pueden provocar (náuseas, turgencia en las mamas, cansancio).

La hipófisis es una parte del cerebro que controla distintos centros de nuestro organismo y, particularmente en la mujer, la menstruación, la liberación de las hormonas propias de la gestación como la progesterona y los estrógenos y también la FSH y la LH mencionadas en ocasión de la ovulación. También se ocupa de moderar nuestro humor, nuestro sueño, nuestro peso corporal y las variaciones propias de nuestro organismo con respecto al día y la noche. De esta manera resulta sencillo comprender que modificaciones importantes en las concentraciones de progesterona o estrógenos, que son frecuentes durante la menstruación, el embarazo o el puerperio, pueden afectar de manera significativa el humor, el sueño o el peso corporal.

La hipófisis se encuentra al lado del hipotálamo y la sinergia entre ambos órganos es tan importante que se suele hablar de un eje hipotálamo-hipofisario como responsable de la armonía en el funcionamiento hormonal de una persona. La hipófisis libera además los precursores de distintas hormonas propias de las glándulas suprarrenales, tiroides, o páncreas.

Una vez que el huevo se ha fertilizado, las concentraciones de progesterona y estrógenos siguen aumentando –si hubiera una menstruación disminuirían– y se suma la presencia de la hormona gonadotrofina coriónica segregada por la placenta. Esta es la hormona que se busca detectar en las pruebas o tests de embarazos; las reacciones bioquímicas son similares tanto para los kits que se compran en la farmacia como pan –ya sean los que se efectúan en los análisis de laboratorio en orina o en sangre–, y su presencia indica la formación de la placenta. Al principio del embarazo la producción hormonal se logra a expensas del ovario, pero luego es la placenta la que se ocupa de la producción, a punto tal que en el primer mes los niveles de progesterona son por lo menos 50 veces mayores que los niveles previos al embarazo.

También aumentan los niveles de prolactina, la hormona responsable, entre otras cosas, de modificar las mamas para su función de lactancia. Las hormonas provenientes de las glándulas suprarrenales también duplican su concentración.

PUERPERIO

En el puerperio y a los pocos minutos de haber parido, se verifica un fenómeno prácticamente inverso, en el que el organismo de la mujer debe recuperar su estado anterior al embarazo. Si antes se vivió un estado hiperhormonal, luego del parto y precisamente luego de la salida de la placenta la caída de los niveles hormonales será espectacular. Otra vez las hormonas jugarán un papel preponderante para que el útero recupere su tamaño normal, lo que llevará alrededor de unas 6 semanas; en esta etapa se logrará que los músculos abdominales recuperen su tensión habitual, que el volumen de sangre y las modificaciones hemodinámicas vuelvan a recuperarse, y, en definitiva, que todo el cuerpo de una mujer recupere su estado no gravídico. Sin duda, lo más notable será la caída del nivel tanto de los estrógenos como de la progesterona. Los niveles de estrógenos permanecerán bajos durante toda la lactancia y la ausencia de progesterona también será marcada. La mujer que lacta mantendrá niveles altos de prolactina durante todo el período de amamantamiento. La prolactina será la responsable de estimular el tejido mamario hacia la producción de leche; existen algunas evidencias que muestran que también colaboraría en los aspectos relacionados con el instinto materno y el apego a su hijo.

La recuperación de la salud

Hemos analizado el complejo comportamiento de las hormonas durante los distintos períodos que hacen al nacimiento de un niño. Nada parece sencillo y las respuestas femeninas son siempre generales. Tampoco parece razonable y comprensible ver cómo muchas mujeres, luego de haber tenido un parto envidiable por lo sencillo y sin ninguna complicación, vuelven al consultorio a los pocos días preocupadas, apenadas y aun tristes sin respuestas claras sobre los motivos de este confuso estado.

Es muy difícil encontrar una única causa a estas actitudes pero intentaremos mostrar un abanico de situaciones a las cuales indefectiblemente las mujeres puérperas se verán enfrentadas.

Una viñeta recurrente que se vive en los consultorios es la de una mujer que de manera entrecortada, se expresa en frases tales como "yo creía que… pero en cambio". Estas dudas, de alguna manera, expresan una visión o una fantasía previa al parto, muy idílica sobre el nacimiento de un hijo. Se piensa que al ser el parto un evento *normal* o *natural*, la recuperación lo será también y además será rápida. Pero si todo es natural, ¿por qué las mujeres se sienten tan mal? La primera respuesta es que las palabras *normal* y *natural* son difíciles de definir y generalmente se las utiliza con cierta intencionalidad que difiere de manera significativa de las vivencias a las que deben enfrentarse las mujeres al tener hijos. La naturalidad como tal no evita que una gestación, un parto o un puerperio sean situaciones físicas y emocionales sumamente complejas para el organismo de una mujer. Hemos visto los extraordinarios cambios que se producen a nivel hormonal, metabólico, hemodinámico y fisiológico, que afectan cada célula del organismo femenino. Queda claro que estos procesos son naturales y que no implican técnicamente una enfermedad, pero por cierto afectan de manera significativa el funcionamiento habitual del organismo.

A veces pueden pasar muchos días e incluso semanas hasta que una mujer recupera sus energías. El consumo de estas energías en los primeros días posteriores al parto es muy importante a pesar de que al visualizar a una puérpera, la veamos sentada o acostada con su bebé en brazos, dándole el pecho y con poca movilidad.

Las comidas serán a los saltos, de a bocados y tan solo en los horarios en los que el bebé lo permita. El descanso será igual: por momentos y casi siempre con un ojo despierto, en vigilia y atento a las necesidades repentinas e inexplicables del bebé.

Más adelante veremos cómo las hormonas, también, afectarán sus emociones.

EL CUERPO VUELVE A SU ESTADO PREGRAVÍDICO

Las piernas ya estaban hinchadas durante las semanas previas al parto. La fantasía era que, una vez finalizado el embarazo, los miembros inferiores volverían a su aspecto habitual en unas horas. Sin embargo, no son pocas las mujeres en las que, luego del parto o la operación cesárea, las piernas se edematizan aun más. La sola visión de este edema en los miembros inferiores molesta, lastima y afecta la alicaída autoestima. Esta hinchazón en las piernas no significa un problema de salud ni una enfermedad; habrá que esperar unos días antes de volver a verlas como lucían antes del embarazo.

Una buena noticia es la probable desaparición de la vista de algunas várices; la mala, en cambio, es que algunos territorios varicosos permanecerán para siempre a la vista. En realidad lo que ha desaparecido es la hipertensión venosa como consecuencia de útero grávido. Esta hipertensión venosa ha sido la responsable de la visualización de los trayectos venosos; no solo se generaron várices en las piernas sino también en el plexo venoso alrededor del ano (hemorroides) y en la vulva. Luego del parto no han desaparecido las várices como tales sino que se visualizan menos porque disminuyó la tensión en las venas. Es probable que se encuentre alivio en la falta de pesadez en la vagina que durante el embarazo expresaba una congestión pelviana propia del volumen de sangre existente en esa zona y de la presencia de las várices en la vulva.

Si ha habido una episiotomía o un desgarro perineal, la cicatrización de los puntos también será sumamente molesta puesto que se trata de una herida que se ubica en un lugar incómodo y con continuas tensiones propias de los movimientos para caminar o sentarse; la episiotomía, además, muestra una dificultosa cicatrización por encontrarse en una zona de pliegue donde siempre hay humedad –aumentada por la sangre que sale de la vagina– y poco contacto con el aire ambiental; la primera etapa de la cicatrización llevará no menos de 15 días. Lo mismo vale para la herida de la operación cesárea que dificulta los movimientos que pongan en tensión los músculos abdominales.

En los primeros dos meses posteriores al parto, el abdomen se mostrará distendido por la relajación de los músculos rectos anteriores. En algunas oportunidades, la relajación muscular es tal que una vez producido el parto no hay diferencias en cuanto al aspecto del abdomen; hasta es común la broma sobre si ha quedado otro bebé adentro. Recién dos meses más tarde, los rectos retoman parte de su estado de semicontracción muscular habitual; por supuesto, con ejercicios abdominales la recuperación será más rápida y más efectiva. Probablemente tendrá que acostumbrarse a que su abdomen nunca volverá a ser el que era ni logrará recuperar la concavidad de otros tiempos aun invirtiendo la mayor parte de su día en efectuar ejercicios abdominales.

El cuerpo vuelve a su estado anterior al embarazo pero, para bien o para mal, nunca será el mismo de antes.

La lactancia

La lactancia traerá también algunos inconvenientes. Hasta llegar a la imagen publicitaria en la que una madre plácidamente le da el pecho a su hijo con una gran paz y una ternura envidiable, pasarán por algunas situaciones complejas. Ante todo debe recordarse que en los primeros 3 ó 4 días, las madres no tienen leche sino calostro. Recién al cuarto o quinto día aparecerá la leche como alimento concreto y definitivo para el bebé. La puesta al pecho temprana tiene por objetivo el aporte de este calostro que es de escaso valor nutritivo pero de gran valor inmunológico; un niño trae como única inmunidad las sustancias protectoras que provienen de su madre y que pasaron a él a través de la sangre durante el embarazo. Muchas veces, y sobre todo en niños que han nacido con un buen peso o aun con un peso por encima de los 3.500 o 4.000 gramos, el calostro será insuficiente para saciar el hambre de los bebés pero los neonatólogos son muy reacios a la administración de suplementos en los primeros días. Seguramente serán niños que lloran más, más inquietos y que muestran un descanso menos apacible. La naturaleza es sabia y quizá las madres no tengan de inmediato una leche nutritiva precisamente porque durante estos primeros días los bebés invierten su tiempo en preparar una flora en el tubo digestivo que permita la aceptación y absorción de la leche futura.

Es más que probable que una vez que aparezca la lactancia, lo haga en una cantidad mayor a la que el niño consume con lo cual se originará una situación denominada "ingurgitación mamaria" que se caracteriza por pechos muy duros, cargados de leche, con nódulos, calientes y dolorosos, y fiebre. En estos casos se indica el "ordeñe" de las mamas para vaciar los pechos. La palabra "ordeñar" tiene por objetivo hacer hincapié en que la técnica de extracción sea enérgica y efectiva. La puericultora seguramente la advertirá sobre esta situación y le enseñará los masajes que deben efectuarse para lograr el adecuado vaciamiento de las mamas.

Los pezones también sufrirán las consecuencias de la succión por parte del bebé y pueden lastimarse, sangrar, doler y motivar la necesidad de utilizar un intermediario (pezonera) de silicona para dar reposo al tejido dañado y permitir su recuperación.

Según la pediatría, la lactancia específica o natural es el mejor alimento para su hijo y las recomendaciones de los distintos organismos internacionales y las sociedades de pediatría manifiestan la necesidad de amamantar durante los primeros 6 meses de edad y si es posible durante el primer año. Este mensaje logra sistemáticamente culpar a la inmensa mayoría de las mujeres que por algún motivo no pueden cumplir con este objetivo. Las causas son muy diversas: están aquellas mujeres que no logran tener una lactancia fluida o bien es la misma pediatría que, aferrándose a tablas de crecimiento, incluye desde temprano la incorporación del biberón; muchas mujeres precisan volver rápidamente a sus tareas laborales por lo que es más que probable que la lactancia específica se vea afectada; y ni hablar de aquellas mujeres que no quieren darle el pecho a sus bebés y son consideradas unas verdaderas malvadas por privarlos del "mejor alimento". Una vez más será la mamá la que tendrá que armonizar entre las recomendaciones médicas, las necesidades de su hijo y las necesidades que tiene como mujer.

Lo que imaginaba y lo que es

Hoy está de moda –y con evidencia científica que lo respalda– promocionar la lactancia natural y por largos períodos. Sin embargo, no siempre ha sido así. A principios del siglo XX, hizo furor la leche maternizada y las mujeres, seguramente motivadas por el *marketing* de aquellos tiempos y aun por sugerencia médica, adhirieron a los biberones creyendo que estas fórmulas modernas tenían un aporte nutricional superior a la leche materna. Hoy se sabe, en cambio, que la lactancia específica y sobre todo durante los primeros 3 meses promueve un sistema inmunológico importante en el niño, superior al de aquellos alimentados con biberón. Probablemente, los niños lactantes se beneficien en tener en el futuro una menor cantidad de alergias y una mejor resistencia a las enfermedades. Por desgracia, el comportamiento de los niños frente a la lactancia no suele ser igual en todos los casos y responde a características individuales difíciles de comprender. La pediatría estimula la modalidad de puesta al pecho según las necesidades del bebé y algunos pediatras más rígidos recomiendan una secuencia de alimentación cada 3 horas. Sea cual sea la pauta recomendada, lo frecuente hoy es que las madres trabajen, por lo que tanto una como otra pauta serán difíciles de sostener en el tiempo. Sin duda, toda madre querrá lo mejor para sus hijos pero, una vez más, lo mejor es enemigo de lo bueno. Por otro lado, usted no solo tendrá que tomar decisiones con respecto al cuidado de su bebé sino que además tendrá que tomar decisiones con respecto a su pareja, a sus otros hijos, a sus seres queridos, y decisiones con respecto a su propia persona. La lactancia no siempre servirá de ayuda: algunas mujeres aseguran que esta etapa, lejos de facilitarles la vida, se las ha complicado, tanto a ellas como a los bebés.

Sus expectativas pueden ser soñadas con respecto a la lactancia pero, una vez más, una cosa es lo que se imagina y otra la realidad. La mirada femenina y la médica, así como la que se puede apreciar en los medios de comunicación, muestran a la lactancia como algo natural y por lo tanto fácil de lograr. Ustedes me disculparán, pero no comparto esta mirada.

Lo natural de la lactancia está en la posibilidad de dar el pecho, pero esto no será una estrategia sencilla ni automática. Se requiere de técnica, conocimiento sobre las etapas por las cuales de la nada se pasa al calostro, luego a la ingurgitación de los pechos, y después a la lactancia establecida. Estas etapas se van sucediendo en un período que durará alrededor de 7 días. No será automático sino que al principio habrá que esperar que aparezca la leche para ver si se logra callar al bebé que llora. No tener leche ni bien se da a luz es frustrante para las madres puesto que piensan que nunca lograrán darle el pecho a su bebé; luego habrá que lidiar con la ingurgitación mamaria y habrá que trabajar para ordeñar los pechos tras la lactancia; con seguridad habrá molestias en los pezones y también se requerirá de algún cuidado, de alguna crema o del uso de pezoneras para aliviar el trajín al que se ve sometido el pezón durante la succión. Ni qué contar cuando la madre no tiene leche suficiente y debe esperar, en tan delicado momento, a que aparezca y, si esto ocurre, que cubra los requerimientos calóricos y nutritivos para su bebé; o incluso a la frustración que puede traer aparejada la incorporación de la mamadera. Para unas, frustración individual y social por el qué dirán y para otras, un enorme alivio dado que una buena mamadera puede lograr que el bebé deje de llorar, duerma y permita el descanso de la madre.

Un dato de suma importancia: según la mayoría de los estudios dedicados a este tema, tendrán que pasar no menos de 3 a 4 meses hasta que un bebé duerma toda la noche.

Otro aspecto a tener en cuenta es el corto tiempo de internación luego de un parto (24-48 horas) en la actualidad, frente a los 7 días habituales durante la mitad del siglo pasado. Hoy las camas, tanto a nivel público como en el área de la seguridad social, son muy caras para permitir que una madre tenga el apoyo de la maternidad para resolver este u otros problemas. La brevedad de la internación hace que la mujer tenga sus primeros inconvenientes al regreso a su casa y no en la maternidad. Dado que este esquema es por demás difícil de cambiar, es importante que los problemas sean analizados con anticipación y las distintas estrategias de resolución sean planificadas antes del alta. Así se irá destruyendo el mito de la *madre perfecta* y dará paso a la *madre real*, que no es ni más ni menos que aquella que hará *todo lo que pueda* y no *lo que deba*.

La lactancia y la relación madre-hijo

Desde hace aproximadamente 25 años se ha hecho un gran hincapié en la relación madre-hijo o *bonding*, para los sajones. John Kennel y Marshall Klaus publicaron en 1972 diversos artículos tendientes a estimular esta relación apelando al instinto materno y a distintas estrategias de interacción entre madres e hijos. La temprana relación visual entre la madre y el bebé, la puesta al pecho ni bien ha nacido y la internación conjunta han sido estrategias para fomentar este vínculo. Lo curioso es que estas estrategias hayan tenido como objetivo mejorar el desarrollo emocional de los bebés. No está en mí criticar negativamente estos supuestos dado que, en lo personal, colaboro para que se cumplan en mis lugares de trabajo. Considero que todos –enfermeras, obstetras, parteras y neonatólogos– cumplimos con la misma misión. Pero me cuesta un poco creer a pie juntillas que la no aplicación de estas pautas afecte la maduración de un bebé o puedan producir una profunda huella. En todo caso –y para no analizar aspectos psicológicos para los que no estoy formado– me interesa tratar de evitar que la culpa vuelva a inundar las emociones de una madre que por algún motivo no ha podido lograr aplicarlas (por ejemplo, la internación del bebé por una prematurez o un posparto que requiera un cuidado intensivo sobre la madre, o la imposibilidad de amamantar por distintos problemas). Resulta simplista creer que la lactancia pueda ser "el modo" de generar una relación madre-hijo; puede ser necesaria y de ayuda, pero sin duda no será excluyente. Qué nos queda si no a los hombres, considerando que no lactamos, para generar un efecto de relación similar. Los aspectos que logran una adecuada relación madre/padre-hijo se encuentran más en el subconsciente que en aspectos fácticos o, en todo caso, será una mezcla de ambos. Pensar que el día de mañana un niño tendrá un mal comportamiento social, familiar o escolar por el fracaso o la falta de algunas de las estrategias anteriormente mencionadas, me preocupa y lo rechazo de plano. Creo en construcciones cotidianas y sostenidas y no tanto en las primeras horas posteriores a un nacimiento.

Las teorías naturalistas deben ser miradas con objetividad y en perspectiva, y no compradas a ojos cerrados por el simple hecho de ser "naturales". Tomadas de forma dogmática, tan solo producirán culpas.

Por lo tanto...

La recuperación física no es sencilla y es muy probable que su cuerpo no vuelva a ser el de antes. Si estamos en la playa, es facil distinguir el cuerpo de una mujer que ha tenido hijos de aquella que no los ha tenido. Quizás la sabiduría radique en mostrar con orgullo las marcas que han quedado.

Algunos consejos:

- Aceptar que el puerperio es tal vez la parte más dificultosa de este capítulo de vida que transcurre con el embarazo, el parto y la crianza de un bebé.
- Aceptar los cambios físicos y cierta lentitud en la recuperación del mismo. Usted ha cambiado de generación una vez que ha sido madre y no es ni sencillo ni aconsejable volver a una situación anterior.
- Descansar cuando se pueda y no fantasear con que la noche será reparadora. Muchas veces habrá que sumar 8 horas de sueño pero repartidas en 2 ó 3 tandas durante el día. La falta de un descanso adecuado afectará notablemente su humor.
- En la medida en que su hijo vaya creciendo, aun en las primeras semanas, las tareas de dedicación hacia él irán aumentando.
- Acepte ayuda de los demás sin dejarse invadir e intentando mantener su intimidad.
- Es probable que le resulte molesto recibir la información ofrecida en este libro por contrastarla con dichos más tiernos y más románticos acerca de la crianza del bebé. Mi idea es brindarle soporte en los momentos en que la crianza se torna un poco caótica. Por otro lado, no hablo por los libros, sino por las experiencias propias y por la

enorme cantidad de relatos de otras mujeres que ya han pasado por el puerperio.

He intentado dar explicaciones sobre algunos aspectos relevantes del puerperio pero me siento incapaz de agotar este tema dado que cada mujer vivirá esta experiencia de manera individual y personal. Sin embargo, tengo la certeza de que todas aceptarán que la vida les ha cambiado notablemente y para siempre.

CAPÍTULO 3

ADAPTACIÓN A LA MATERNIDAD: UN CAMINO DE CONTRADICCIONES

En las mujeres el instinto equivale a la
percepción de los grandes hombres.

HONORATO DE BALZAC

Una vez que pasa el tiempo y las canas aparecen, las experiencias de vida, en general, se ven con otra perspectiva. Lo mismo les pasa a las mamás y es muy común escucharlas relatar la época del embarazo, el parto y aun los primeros días del puerperio como placenteros. Sin embargo algunas, ante preguntas bien concretas, no recuerdan detalles propios de esos días; esto resulta muy llamativo considerando que suele decirse que el nacimiento de un hijo es una experiencia única; a modo de ejemplo puedo citar que poco tiempo después del parto suelen olvidar el peso del bebé al momento del nacimiento, o si tienen más de un hijo no recuerdan en qué institución ha nacido cada uno o cuál es el nombre del profesional que ha asistido el parto; tal vez estas experiencias no impactan de la misma forma en todas las personas, o bien las vivencias, que en un momento parecen fundamentales, son borradas con el paso tiempo. Algunas mujeres lo describen como la época más feliz de su vida; pero esto no es lo que vemos a diario los obstetras, ni las parejas, ni los amigos. ¿Mienten las mujeres? De ninguna manera. Como en otras tantas situaciones de la vida, tenemos una tendencia a conservar los recuerdos placenteros y desechar los que no lo son tanto. Si bien es posible que haya habido momentos de gran felicidad, voy a citar algunas situaciones conflictivas por las cuales es muy difícil que una mujer no haya transitado. Por otro lado, el sentirse madre o el cumplimiento de la tarea de ser madre puede relacionarse con etapas que producen no solo una nueva sino una enorme e importante satisfacción; es algo que esperaron durante gran parte de sus vidas, ha habido cierta programación durante su educación –a diferencia de los hombres– y durante nueve meses ocupó gran parte de su cerebro y de sus expectativas. Sin embargo, en la etapa en la que se vive el nacimiento, por momentos, la dedicación, la preocupación, la sola mención de la palabra maternidad o la actitud activa del cuidado del bebé pueden provocar un repentino ataque de responsabilidad y a veces de agobio. Por ello, no es cuestión de juzgar a las mamás como contradictorias, sino de intentar comprender cuáles son los motivos por los que durante el puerperio y probablemente durante la crianza de los hijos pasan por sensaciones de ambivalencia, de impotencia y de esfuerzo hacia la adaptación.

No debemos olvidar además que la experiencia de la maternidad, como otras, cambia con el tiempo. A mediados del siglo pasado y aún antes, los niños no eran ni más ni menos que un evento inherente al matrimonio. Casarse para tener hijos era un pensamiento que seguía una lógica propia de la ley natural. No había elecciones ni cuestionamientos: el rol reproductivo de la mujer estaba fuera de discusión. Quizás la capacidad concreta que se tiene hoy para elegir un embarazo es la que haga que la sensación de tener un hijo sea ambivalente, compleja, planificada. Antes no había cuestionamientos. La libertad de hoy, en cambio, somete a las mujeres a un verdadero dilema sobre el deseo de tener un hijo. Por ello he hablado de contradicciones e inexorablemente las mismas derivan en dudas, pensamientos ambiguos, opuestos, cuestionamientos. No creo que los que tenemos hijos nos hayamos planteado cuál ha sido el motivo para traerlos al mundo. Hemos tenido libertad pero no hemos hecho uso de la misma; aún hoy seguimos algunos cliché y tal vez el "quiero tener un hijo" no sea un acto de amor sino más bien un acto hedonista y, como tal, bastante ligado al egoísmo. Si bien existe la libertad de tener hijos o no, las presiones sociales y familiares representan un factor fundamental a la hora de definir este proyecto. Curiosamente y en muchas oportunidades, la soledad suele ser el escenario que se despliega una vez que se tienen los hijos. Los que fomentaron este deseo siguen con su camino y nosotros debemos, con enorme esfuerzo, iniciar el nuestro. Aquí es donde los metros cuadrados de la vivienda se muestran escasos, la billetera adelgaza, el cuidado de los niños se impone sobre la persona de la madre, aparecen las ambivalencias con respecto a la carrera o al trabajo y la vida cotidiana se modifica notablemente. Las parejas tiemblan por la llegada de quien debería haber sido, según la fantasía propia y los ojos de los demás, una prenda de unión, transformándose en cambio en una notable fuente de conflictos. Las prioridades se invierten de manera vertiginosa y no hay vuelta atrás. "¿Me habré equivocado?" Lamentablemente, no hay posibilidades de revisar el pasado, pero sí de ocuparse del presente y el futuro para encontrar los motivos que nos permitan seguir adelante con la crianza de nuestros hijos y lograr disfrutar de la enorme satisfacción de haberlos tenido.

¿CÓMO ES REALMENTE EL PUERPERIO?

Analicemos la internación. En el primer día, sin importar la hora en la que haya nacido el bebé, suele ser muy difícil conciliar un sueño reparador; en la primera noche es muy difícil dormir o taxativamente no se logrará conciliar el sueño; en la segunda, las cosas cambian pero solo un poco puesto que también se suele dormir a los tumbos. No hay una explicación concreta pero la realidad es que las madres están muy pendientes de su hijo; cada sonido que emite el bebé las inquieta y pretenden analizarlo –si llora, porque llora; si no llora, porque no llora; si duerme, porque duerme tanto– y así van pasando las primeras dos noches sin un sueño reparador. Si a este cuadro le sumamos que es probable que no haya habido un buen descanso en los días previos al parto, veremos que la resultante es una excesiva acumulación de cansancio. Para colmo, hay que poner cara de "feliz cumpleaños", no sea que las visitas se vayan preocupadas por no haberlas visto felices.

Las visitas, sean familiares o algunos amigos íntimos, pueden hacer su pronta aparición en la maternidad, violando, de alguna manera, la necesaria intimidad; sin embargo, hay otras visitas más formales o bien más oportunas, que se presentarán el segundo o tercer día y que no elegirán la modalidad "picnic", por lo que no acamparán en la habitación de la nueva madre por largas horas. No duden que existirá una suerte de competencia entre todos para ver quiénes son los primeros en llegar y el grado de creatividad en la compra de las batitas o los utensilios para la crianza del bebé. Además, es muy frecuente que circule una leyenda por la cual se recomienda recibir a las visitas durante la internación en la maternidad, con el objetivo de lograr una mayor intimidad en la casa y una dedicación más efectiva hacia el bebé, sin distracciones y a tiempo completo. Creo que, como en todos los órdenes de la vida, existen factores a favor y otros en contra en esta conducta; pero me inclino a creer que el consejo tiene alguna validez. Durante la internación hay más ayuda por parte de enfermeras o mucamas, no hay que andar sirviendo cafecitos o bebidas, y cuando se acumula un buen número de personas en la habitación, si la gente no entiende por sí misma que debe retirarse, seguramente algún personal del equipo de salud ordenará el amontonamiento de personas en la habitación en protección del bebé y de los padres.

Sin embargo no todas son buenas, dado que la filosofía del puerperio en la mayoría de las maternidades tiende a favorecer una internación conjunta de la madre con el bebé. Esta estrategia busca que la mamá conozca a su hijo desde un principio, aprenda cómo deben realizarse los cuidados del bebé e inicie la dificultosa tarea de amamantar al niño, sobre todo en los inicios de la misma. Por ello, no se persigue una internación que busque el descanso reparador o el aislamiento de la madre sino que, por el contrario, intentará que, a través de la dedicación, la convivencia con el bebé y con la ayuda de las enfermeras de neonatología y obstetricia, se logre que este niño no resulte un extraño al llegar a casa. Adquirir cierto manejo sobre el cuidado propio y del niño es fundamental para no entrar en pánico una vez que han vuelto a casa. Muchas son las novedades y mucho es lo que hay por aprender.

Anteriormente, las maternidades utilizaban la *nursery*. Esta filosofía jerarquizaba el trabajo de la enfermera o *nurse* y aseguraba que el conocimiento era propiedad exclusiva del equipo de salud; el cuidado del niño quedaba en manos de enfermeras especializadas, dado que la reciente madre ignoraba estos nuevos menesteres. Si bien esta estrategia permitía el mejor descanso de la madre, con el tiempo se observó que los problemas de regreso al hogar eran aun mayores de los que se presentan en la actualidad.

Los problemas no se dan solo en la relación con el bebé; además, la comprensión de las molestias corporales y emocionales de la mamá no tendrá inmediata respuesta ni lugar de consulta. El sistema está organizado de manera tal que la vuelta al obstetra sea recién a las dos semanas del parto. El objetivo de este encuentro suele ser el de revisar las posibles cicatrices, quitar los puntos de la herida de la operación cesárea, investigar si ha quedado alguna anemia residual, o analizar los probables cursos de la anticoncepción o de la planificación familiar. Prácticamente no queda tiempo siquiera para tratar los temas y la forma en la que la mamá se ha adaptado a su nueva vida. Admito que los médicos tenemos una mirada muy biológica y en este campo nos movemos con alguna seguridad. Los terrenos emocionales no nos resultan cómodos, no hemos sido preparados para navegarlos y, en todo caso, hemos cedido este terreno a manos de la psicología, como si esta especialidad se encontrara a la vuelta de la esquina o toda mujer tuviera a un terapeuta a su lado para resolver aspectos para los cuales, y dicho con todo respeto, tampoco ellos han sido preparados. Los aspectos emocionales y su prevención no entran en el imaginario de los médicos en cuanto a la atención primaria de la salud. Y así es como entre la internación luego del parto y la primera visita del puerperio, las mujeres enfrentan un par de semanas durante las cuales las horas pasan, generalmente, en soledad.

LA VUELTA A CASA

Los relatos son casi todos coincidentes. La mayoría de las mujeres manifiesta una permanente sensación de confusión. Es más, muchas mencionan que la vida se ha vuelto caótica. Nada se encuentra en regla o acomodado. Todo es desorden. Todo es dificultad. Todo está revuelto. Más de una vez he leído que el instinto materno resolverá las dificultades. Pero, ¿dónde se encuentra el salvavidas denominado "instinto materno"? ¿Qué hace la mujer cuando quiere recurrir al instinto tan mentado y este no aparece? Curiosamente, la única actividad que hay que desempeñar es la de atender al niño, y para el sentido común, probablemente esto no debiera ser una situación tan dificultosa, habida cuenta de que tan solo hay que darle de comer, asearlo y acomodarlo para que tenga un sueño placentero. Y entonces, ¿por qué estas actividades, a primera vista sencillas, se convierten en un caos?, ¿por qué las madres no dominan la situación?, ¿por qué mencionan, en cambio, que son ampliamente dominadas por el bebé y que han perdido todo control sobre esta situación? Si se encuentra despierto, hay que estarle al lado; pero si duerme, de todos modos el bebé se encuentra a ojos vista, puesto que las madres no quieren dejarlo solo, y persiste la necesidad de controlarlo y de observarlo permanentemente. Les gustaría acostarse un rato para descansar, relajarse, ver un poco de televisión, tomar un baño reparador o hablar con alguna amiga, pero ninguna de estas tareas es sencilla a pesar de que todo se encuentra al alcance de la mano, en un radio de unos pocos metros, y sin embargo esta distancia parece inmensa y las dos manos no alcanzan para organizarse. Se pensaba que solo iba a ser una experiencia llena de alegría y de diversión y en cambio la infelicidad ronda por sus cabezas. No logran dominar la situación, sino que por el contrario, es la situación la que las domina.

Muchas veces se preguntarán si son buenas o si son normales, o bien les surgirá la duda sobre si no han descubierto alguna faceta de incapacidad o maldad en su personalidad. La fantasía previa al parto era que, luego de haber tenido un hijo, solo sentirían una inmensa felicidad y que los días siguientes serían sencillos en la medida que se aplicaran los conocimientos adquiridos en los cursos de preparación para el parto o gracias a los consejos de alguna madre que ya ha pasado por esta circunstancia. En cambio, se sienten cansadas y doloridas en cada parte del cuerpo, las acosa el malhumor y la irritabilidad; sienten ganas de recluirse y no ver a nadie. Quisieran gritar: ¡Basta de exámenes! ¡Basta de exigencias! ¡Quiero dormir! ¡Estoy aburrida! ¡Quiero estar sola! ¡Quiero salir corriendo! ¡Quiero volver a la oficina! Y así es como la ambivalencia y las contradicciones son frecuentes. Felicidad y tristeza, libertad y encierro, acompañamiento y soledad, habilidad y torpeza son la escenografía habitual.

Se me ocurre que si tuviera que afinar mi poder de síntesis a lo expresado anteriormente, diría que comienzan a percibir que han perdido la individualidad o la libertad de la vida anterior y sienten, con pesar, que no hay vuelta atrás. Las mujeres que solían estar fuera de casa por trabajo o por estudio no encuentran que su hogar sea un lugar amigable. Y para colmo están por obligación y no por decisión.

Hemos mencionado las modificaciones biológicas que se disparan una vez que se ha producido el nacimiento. No cabe duda que durante el puerperio hay cambios físicos que son motivados por otros fisiológicos, pero no debe sorprendernos que exista un correlato emocional frente a estos cambios. Por ello es bueno que en lugar de castigarse y atesorar sentimientos negativos, intenten aceptarse y comprender que efectivamente la vida ha cambiado y por cierto, de manera vertiginosa.

¿Será que no quería realmente a este niño?

Este no es el momento para plantearse esta pregunta pero es comprensible que surja la duda. Y, en todo caso, está más que demostrado por diversas investigaciones que, más allá de las condiciones en las que se haya gestado un bebé, la situación compleja y propia del puerperio es similar para todas las mujeres. Lo mismo vale para aquellas mujeres que se mostraban muy sólidas emocionalmente, para las hábiles, para aquellas que en cambio tenían una vida dificultosa o bien para aquellas que padecían alguna neurosis difícil de sobrellevar. Para todas será más o menos difícil la vida del puerperio, nunca sencilla. La sensación de que un bebé es para siempre puede resultar agobiante debido a la enorme dependencia que esta relación conlleva.

Si una madre ya tiene otros hijos, es probable que la experiencia acumulada con el nacimiento anterior sea importante a la hora de la crianza del nuevo bebé, pero no cabe duda de que es la misma madre la que deberá dar respuestas al recién nacido. ¿Lo quiere igual que al otro? A nuestra sociedad no le place que expresemos categorías en los afectos; a lo sumo, y siempre de manera educada, podremos manifestar que sentimos afectos iguales en cantidad pero diferentes en modo para nuestros hijos, nuestros amigos o nuestros parientes. Más de una vez, en la intimidad del consultorio, las embarazadas han confesado sus dudas sobre si llegarán a querer al segundo hijo como al primero. No tengo respuesta y es probable que lo políticamente correcto sea contestar que será así sin duda alguna.

¿POR QUÉ LA AMBIVALENCIA?

Hasta la llegada de los anticonceptivos a mediados del siglo pasado, la sexualidad para las mujeres era sumamente dificultosa, puesto que el coito lúdico tenía grandes posibilidades de convertirse en un coito reproductivo. No había opciones, salvo la práctica de la abstinencia sexual; no ha debido ser una situación sencilla y, menos aún, contemplada o aceptada por los hombres. Culturalmente además se aceptaba que el destino bíblico y biológico de las mujeres era el de tener hijos. Vale el comentario de que esto era algo promovido por la sociedad, dado que se necesitaban hombres para servir en los ejércitos para las distintas guerras que se libraban en el mundo. Recordemos que entre la Primera y la Segunda Guerra Mundial murieron más de 50 millones de personas. La misma pediatría encuentra sus inicios en buscar mejorar la salud de los niños con la idea de que pudieran llegar de una manera apta a incorporarse a las filas bélicas.

Aunque algunos comportamientos luzcan como ancestrales, hoy en día las cosas son muy distintas. La posibilidad de planificación de los embarazos mediante la utilización de métodos anticonceptivos sin perder la práctica de un sexo lúdico, la presencia de la mujer en el mercado laboral, la capacidad de posponer la edad de la maternidad, por citar tan solo a algunos ejemplos, ha producido una disminución de la fecundidad. Existe un contraste marcado entre lo que hicieron las abuelas y bisabuelas y las decisiones que pueden tomar las mujeres actuales. Sin duda, el escenario actual luce mejor, pero esto no quita que la capacidad de elegir sea una fuente de ambivalencias más que de seguridades. Es probable que en un escenario futuro la ambivalencia no gire en torno a cuántos hijos tener sino a la decisión de concebirlos o no.

¿AMOR A PRIMERA VISTA?

Otra fantasía muy habitual es la creencia que se tiene durante el embarazo de que una vez nacido el bebé lo querremos de manera inmediata y gigantesca. Si varias veces hemos sentido un amor a primera vista por distintas personas, cómo pensar que no sucederá lo mismo con "quien más deberíamos querer". Mi impresión es que no suele ser así y esta es otra dificultad emocional a la que habrá que enfrentarse. Pareciera que el amor a primera vista no es tal como se había imaginado o no es como les habían contado sus amigas o como hubieran pensado. Pero, ¿por qué es obligatorio sentir, por decreto, un "amor a primera vista" hacia nuestro hijo? Me queda claro que, si bien ha permanecido durante varios meses en la panza y a través de los movimientos ha interactuado de distintas maneras con la madre, no deja de ser más que un extraño al nacer, al que habrá que comenzar a conocer e intentar disfrutar. Las primeras miradas que he observado en las mamás y en los papás han sido de sorpresa, de curiosidad, de tranquilidad si el bebé es sano y "tiene todos los deditos", de confusión puesto que el parecido del bebé puede no ser a como se lo habían imaginado, pero no de "amor a primera vista". Tanto es así que al principio muchas mamás encuentran a sus bebés feos porque difieren mucho de las caritas que se observan en las revistas o en las publicidades.

Tampoco resultará sencillo comunicarse con quien no se comunica y tan solo mira hacia un lado y hacia otro o bien duerme la mayor parte del tiempo. Las expectativas son distintas a las realidades.

Las madres suelen sentir una nueva culpa cuando se descubren mirando al bebé casi sin sentimientos, de manera distímica, como si fuera un objeto; le miran la carita, los brazos, las manos, los pies... pero casi como haciendo un descubrimiento o un reconocimiento. ¿Está mal esto? Quizás lo importante sea mencionar –sin atarnos a un cliché determinado– que lo que sin duda sucederá con el correr de los días es que ese descubrimiento o esa investigación corporal y afectiva se transformará rápidamente en un amor muy especial y creciente día a día. Pero durante meses será todo inversión sin ninguna devolución. Los bebés no sonríen, no miran o escuchan con atención, no agradecen, no demuestran...

¿LA *NECESIDAD* O LA *TRISTEZA* DE ESTAR SOLA?

La soledad suele ser un tema recurrente en las entrevistas y encuentros luego del parto. Pero, ¿por qué las mujeres sienten soledad si, curiosamente, están siempre acompañadas, por lo menos, por su hijo. La dedicación hacia el bebé hace que una mujer nunca se encuentre sola puesto que siempre está con su hijo. Ocho a diez puestas al pecho por día, los cambios de pañales, el aseo, el intentar que se duerma, ordenar las cosas de la casa, descansar algún rato, son tareas que hasta ponen en duda que las mujeres tengan tiempo de sentirse solas o acompañadas. Entonces, nuevamente, ¿cómo pueden hablar de soledad? Quizás la respuesta sea que el niño no acompaña sino que, como ya dijimos, es un ser al que hay que darle permanente dedicación y que se relaciona muy poco con quienes lo rodean. Por ello, quien no recibe atención es precisamente la madre. Muchas veces hay soledad aunque uno se encuentre en compañía; y quizás esta situación sea una de las peores soledades. Las abuelas podrían representar compañías útiles; sin embargo, se debe ser cauto con la presencia y con el aporte que puedan ofrecer. Por un lado y siendo honestos, en la actualidad muchas abuelas trabajan o poseen un tiempo escaso para el cuidado de su hija puérpera o de su nuevo nieto. Incluso hay que ponderar bien cuál es el tipo de relación que se tiene con ellas. No son pocas las mujeres o las parejas que muestran una relación tensa o inadecuada con sus padres o con sus suegros. Por ello, sería oportuno preparar bien el terreno antes del nacimiento y ser claros sobre los alcances y límites de las visitas de los familiares más cercanos, de los no tan cercanos y aun de los amigos. Pueden ser útiles simplemente para servir de acompañamiento, o para lograr ayudas específicas tales como asistir al cuidado del bebé, ordenar algunas cosas de la casa, hacer compras o bien preparar algo para cenar. En estas condiciones solo habrá palabras de agradecimiento y la armonía será una prenda de gratitud. Si, en cambio, la relación con los abuelos es conflictiva o las visitas se tornan prolongadas o se entrometen de manera continua en la intimidad de la casa y/o se vuelven maestros de la crianza del niño, al caos habitual del hogar habremos agregado una dificultad más: la pelea familiar como corolario. Es importante que la pareja hable sobre estas cosas antes del nacimiento del bebé para que luego no haya sorpresas. Más vale una discusión antes del parto que días complejos y enojos luego del nacimiento. De todos modos, es importante que en este cambio de opiniones se incluya también una cierta flexibilidad entre lo que pensamos durante el embarazo y lo que se vivirá luego del nacimiento.

Lo mismo vale para las visitas "picnic". Por definirlas de alguna manera diré que son aquellas personas que tienen poca actividad en la vida cotidiana, les resulta un programa social más que una visita, no tienen en cuenta los horarios, aparecen sin anuncio previo y logran instalarse por mucho tiempo sin ofrecer la mínima ayuda; por el contrario, pretenden ser servidas con cafecito, mate y bizcochitos. No comprenden que una madre precisa de un tiempo de intimidad para poder conocer a su hijo y buscar la forma de ser lo más eficaz posible en su atención y en su cuidado.

No es bueno estar o sentirse solas, pero lo ideal sería poder contar con aquellas personas que hablan poco, saben escuchar, son prudentes al dar una opinión, no hieren, ayudan y muestran una gran solidaridad en la compañía. Toda una utopía.

PÉRDIDA DEL CONTROL

Hemos mencionado el caos que suele vivenciarse en el quehacer cotidiano una vez que, junto con el niño, se regresa al hogar. Esta sensación desagradable de "pérdida del control" no es algo nuevo. Durante el embarazo ya habían percibido una sensación similar. El feto crecía solo, se movía solo y el cuerpo de la madre se modificaba de manera incontrolable; un embarazo con piloto automático en el que había que dejarse llevar; pero el equilibrio ya no era el mismo; se habían producido cambios en el gusto y en el sabor de las comidas, la percepción de los olores se había incrementado, el sueño era invadido por el insomnio, la capacidad y la actitud frente al trabajo habían disminuido, y de manera notoria se había modificado la relación de pareja. Uno cree que puede dominar la mayoría de los eventos de su vida y de pronto un embarazo modifica todo aquello que parecía estar bajo control. Lo mismo vale para el puerperio. Se pensaba que aplicando las recetas de los cursos de preparación para el parto, los consejos de los libros o las lecturas en Internet o los asesoramientos de los programas de televisión, se habría logrado dominar en gran parte la situación.

Algo tan simple como salir de casa puede transformarse en una instancia agotadora, dado que los preparativos pueden llegar a fatigar a las mamás antes de que se haya pasado el umbral de la puerta. Una salida puede transformarse en una actividad tan compleja que muchas veces las madres deciden quedarse en casa. Quizá esto sea un error puesto que estar encerradas entre cuatro paredes no es lo aconsejable y la destreza en preparar la salida será, en breve, cada vez más eficaz.

Sin embargo, la vida real suele ser esquiva a los dogmas de los consejos. Así es entonces como la pérdida del control suele ser una constante en la nueva vida del puerperio. Nada es a horario, el cansancio es demoledor, el bebé parecía un santo pero ahora es inmanejable, su llanto que tanta ternura y emoción nos deparaba al principio ahora resulta insoportable.

Nunca se perderán estas sensaciones, pero es probable que se acostumbren a ellas y puedan dominarlas de a ratos. Por más que uno luche y quiera evitarlo, la dedicación es exclusiva y esto provoca muchas veces una sensación de desasosiego e impotencia y aun rabia.

¿Me habrán querido de chica?

No sé si la pregunta es feliz pero estoy seguro que debe ser del agrado de los psicólogos. Y es muy probable que, ante el nacimiento de un hijo, tanto hombres como mujeres deseemos conocer, recordar o investigar cómo han sido nuestros primeros días y cómo nuestros padres vivieron nuestro propio nacimiento. Es más, algunas veces he escuchado cierta preocupación por parte de las nuevas mamás de no convertirse en fantasmas de sus madres por no repetir roles, sino por marcar una concreta separación entre la identidad de ambas. Creo que estas situaciones, fantasías o pensamientos no tienen explicaciones pero, sin duda, una madre deja una gran porción de su rol de hija para convertirse en una nueva y futura madre. Y esto no se logra en un segundo, ni en un pujo, sino que será una consecuencia natural que además impondrá el propio hijo con su crecimiento y su protagonismo. Por otro lado, las mujeres buscan ejemplos, y seguramente el primero a tomar será el de sus propias madres –en la disyuntiva de si querrán parecerse a ellas o cómo alejarse de ese modelo–. Otra preocupación, ya con años de madre, es la de la repetición de los errores que han tenido sobre sus hijas y a su vez las nuevas mamás con sus nuevos hijos. Las madres han sido encantadoras, tiernas, cómplices, malas, brujas, invasivas, ausentes. Todas estas imágenes confluyen en segundos a la hora de pensar en nuestros padres. Por ello, muchas veces las mujeres mencionan que se descubren repitiendo roles o situaciones frente a sus hijos similares a las que ya vivieron como hijas. Es más, una situación de conflicto suele ser la de descubrirse irritada, ansiosa, incomprensible frente a las actitudes del bebé sin encontrar un correlato en los recuerdos de cómo era su madre con ella. Estas sensaciones pueden ser placenteras o irritantes, pero sin duda marcan un nexo entre la nueva mamá y su propia madre. Como diría Freud, no somos tan individuales como creemos ser y somos parte de nuestra historia y de nuestras circunstancias. Queda claro, por lo tanto, que hemos incorporado a nuestra personalidad parte de las personalidades de nuestros padres, con sus claros y oscuros, y la maternidad sea uno de los momentos en que estas influencias se manifiestan con mayor intensidad.

¿Adaptación o qué?

Hemos mencionado algunas de las situaciones más comunes del puerperio y que hacen de esta época inmediata al parto un período sumamente complejo de transitar. Hemos hecho hincapié en los aspectos emocionales, pero no cabe duda de que el aspecto físico no ayuda a mejorar el humor. Los dolores, las dificultades del inicio de la lactancia, el cansancio y la fatiga complican aun más la adaptación a esta nueva vida. Resulta útil prevenir informando antes del nacimiento sobre estas situaciones para que, una vez que ocurran, resulten familiares. Además de conocerlas es fundamental que se ofrezcan espacios de reflexión para aprender a manejarlas mejor, sin culpas, aceptando las contradicciones pero evitando sufrir en soledad. Admitamos también que hay mujeres que tienen una excelente capacidad de adaptación, no tanto por su habilidad para organizarse sino porque tal vez perciban estas sensaciones tan agobiantes para algunas, como fuente de diversión y de excitación. Es de esperar que un poco de humor pueda aflorar en medio de tantos nuevos y encontrados sentimientos.

Por lo tanto...

- Es probable que la realidad sea distinta a las expectativas previas al parto.
- Así como en los viajes, podemos programar casi todo pero no está asegurado que los resultados sean exactamente similares a los pensados.
- La internación en la maternidad no logra resolver todos los inconvenientes que pueden presentarse.
- La internación se extiende por 48 a 72 horas, pero los inconvenientes suelen surgir al quinto o sexto día.
- El cansancio, las heridas, el inicio de la lactancia pueden ser dificultosos y empañar los primeros días del nacimiento.
- La vuelta a casa significa una ruptura entre la maternidad protectora y la desprotección de su hogar.

- Queremos a nuestros hijos desde que nacen, pero dudo que exista el amor a primera vista.
- Más de una vez, en los momentos de desesperanza, agotamiento y soledad, se preguntará si no se ha equivocado en tener un hijo.
- Indefectiblemente se encontrará alguna vez preguntándose "¿qué clase de madre seré?".
- Es probable que varias veces pierda el control de la situación.
- Con humor, suelo decir que tenemos hijos para pagar, en vida, los pecados de haber sido hijos. ¿Estaré equivocado?

Capítulo 4

¿CÓMO HA SIDO EL PARTO?

No hay grito de dolor que en lo futuro
no tenga al fin por eco una alegría.

RAMÓN DE CAMPOAMOR

La adaptación al nacimiento de un bebé no suele ser sencilla pero, sin duda, las dificultades comienzan antes del nacimiento.

La espera del día del parto suele producir una gran ansiedad. En el caso de las primerizas, es probable que esta ansiedad se deba al desconocimiento de cómo será el trabajo de parto y la duda sobre si se darán cuenta del inicio del mismo. También habrá dudas sobre las características de las contracciones uterinas (¿serán o no serán?), sobre el momento en el que deben dirigirse a la maternidad, sobre si se darán cuenta que han roto la bolsa de las aguas, sobre la distancia a recorrer para llegar a la maternidad. Una y mil incógnitas para lo que se viene esperando desde hace 9 meses. Para las que tienen hijos, las dudas no parecen ser menores y muchas veces los relatos de los médicos y de las otras mamás con respecto a la mayor rapidez de los partos hacen que la angustia pueda ser aun mayor.

En realidad, más allá de que se haya realizado el curso de preparación psicofísica para el parto, de que haya habido una extensa charla con el obstetra o con la partera, de que hayan hablado con otras mamás que ya han tenido hijos, de que hayan leído libros o hayan consultado en Internet, independientemente de todas estas u otras alternativas el trabajo de parto y el parto siempre serán eventos impredecibles. Diría incluso, sin miedo a equivocarme, que cada parto es único. Yo mismo y como obstetra puedo pensar que este parto ha sido similar a otro, sin embargo las percepciones individuales de cada mujer vuelven a ser únicas.

Aun si planificamos una operación cesárea para un determinado día y horario, días u horas antes puede iniciarse un trabajo de parto espontáneo o puede haber una rotura de las membranas y el plan preestablecido deberá ser modificado ante las nuevas circunstancias. Por otro lado, las formas de presentación de un parto pueden ser tan diferentes que difícilmente puedan abarcarse en una síntesis o en una de las charlas de un curso de psicoprofilaxis; por ello, generalmente utilizamos como estrategia hablar sobre un trabajo de parto ficticio que abarque las distintas situaciones que puedan suceder durante el mismo, de manera tal que el bagaje de posibilidades cubra la mayoría de las situaciones a experimentar y que las vivencias, aunque nuevas, hayan sido escuchadas con anterioridad.

Por otro lado, la actitud de prepararse para el parto –hacer los cursos, tomar clases de yoga, gimnasia o la matronatación– puede ser de gran ayuda, pero no logrará garantizar un buen parto ni que usted vaya a controlar todas las variables.

¿Parto natural?

Una vez más, la libertad para decidir se transforma en otra expresión de conflicto para las mujeres. Mi madre, en la década de 1950 no tuvo opción de elegir ni nadie escuchó su opinión. O tenía un parto vaginal o tenía un parto vaginal –hoy lo denominamos *parto natural*–. No se trataba de un capricho médico sino que casi no se practicaban cesáreas porque entonces era una intervención sumamente riesgosa.

La palabra "natural" (*parto natural*) promueve la idea, en general y de manera confusa, de que al ser propio de la especie y al tener las mujeres la capacidad de llevarlo a cabo, el parto será una cosa sencilla. Erróneamente se le asigna una connotación de facilidad a la palabra "natural", y como tal invalida las técnicas de asistencia del trabajo de parto y del parto, por "artificiales". El *parto vaginal* –como debería llamarse en lugar de "natural"–, tan solo expresa un atributo fisiológico a la capacidad que tienen las mujeres de desarrollar contracciones, dilatar el cuello del útero y expulsar el feto. Que sea natural no significa que necesariamente un parto deba ser algo sencillo. Por el contrario, diría que los partos suelen ser dificultosos y los antropólogos, en parte, han dado una interesante explicación a esta característica. Debemos recordar que los seres humanos nos hemos transformado en seres bípedos allá lejos y hace tiempo; la bipedestación ha complicado el proceso del parto puesto que modificó la posición del útero, de manera tal que el cuello del útero tenga que soportar el peso del bebé y el líquido amniótico, por lo que la dilatación del cuello del útero se hizo más lenta; la vulva se desplazó hacia el abdomen materno acortando la vagina y produciendo una curvatura de 90° que dificulta la salida del bebé; y por último, y sin querer agotar este tema, el periné, en vez de ser complaciente como lo es en los cuadrúpedos, se ha convertido en una estructura reforzada para soportar el roce de las piernas al caminar. No debemos olvidar además que por la pelvis debe pasar el cuerpo del bebé que tiene una característica muy particular: su cabeza es más grande que el resto del cuerpo (el diámetro de la cabeza del bebé es apenas unos milímetros menor que el de la pelvis de la madre).

Para los obstetras la mayoría de los partos son dificultosos y no respiramos tranquilos hasta que el mismo se haya efectuado. Algunos incluso recuperamos la tranquilidad solo después de varios días en los que no hayan surgido complicaciones. Por ejemplo, debemos recordar que tener pérdidas abundantes, con feo olor o una infección en el útero son eventos que ocurren en 1 de cada 100 ó 200 partos y esto puede suceder de inmediato o en los primeros días. Hechas estas aclaraciones, debo mencionar que, sin embargo, he visto muchas mujeres que han parido con extrema facilidad. Esto ha sido la conjunción de tener serenidad en esos momentos y un acompañamiento adecuado y eficaz, armonía entre los diámetros del bebé y el de la pelvis de la mamá, una buena contractilidad uterina y cierta dosis de suerte.

EL PARTO VAGINAL COMO EXPRESIÓN DE FEMINIDAD

Es difícil opinar al respecto, pero no es menos cierto que muchas mujeres ven en el parto vaginal una forma de expresar su feminidad. Es interesante esta visión, pero independientemente de las sensaciones y pensamientos personales, el parto vaginal tan solo expresa la posibilidad fisiológica que tienen las mujeres a través de su aparato reproductivo de lograr este propósito. Una vez más, la connotación de naturalidad en la forma de parir confunde las cosas. Si así fuera, la mujer que logra tener un parto vaginal sería más femenina que aquella que ha tenido una cesárea, y la que ha tenido un parto mediante un fórceps sería una heroína. El parto vaginal expresa una condición fisiológica pero no por ello mejor. Recordemos que la medicina es una disciplina que busca mejorar lo que la naturaleza propone y por ello se ha hecho cargo del nacimiento para disminuir los riesgos implícitos de un parto no controlado.

Por otro lado, la sociedad parece ver con mejores ojos a las mujeres que eligen el intento de un *parto natural* de aquellas que prefieren un *parto inducido, programado* o bien una *operación cesárea* para el nacimiento de su hijo. En realidad esta es una nueva falacia. Si una mujer elige un parto desmedicalizado, por qué no otra puede elegir un parto medicalizado, mediante una inducción programada o una operación cesárea programada. Los riesgos para uno o dos hijos prácticamente son similares, con lo cual los supuestos riesgos no debieran ser los motivos por lo que se induzca a una u otra manera de nacer. La autonomía, en la actualidad, es un valor sumamente preciado y estimulado en la práctica de la medicina, así como en otros ámbitos de nuestra vida cotidiana.

La operación cesárea

Algunas operaciones cesáreas son programadas y otras en cambio suelen darse durante el trabajo de parto. Es probable que estas últimas se vivan como una frustración, a pesar de que hoy nadie desconoce que los índices de operaciones cesáreas han aumentado de manera significativa por ser una forma de reducción de partos vaginales que anteriormente habrían resultado muy riesgosos y con secuelas no menores tanto para la madre como para el niño. Asimismo, este aumento en la incidencia de operación cesárea se debe a que los índices de partos instrumentales (fórceps y ventosa obstétrica) se han reducido de manera significativa. En la actualidad, la indicación de una operación cesárea puede surgir de manera repentina, sea por una alteración de la salud fetal como por la presunción de que el parto vaginal podría resultar riesgoso en sus últimos tramos o bien podría culminar en la aplicación de un fórceps dificultoso o una extracción por ventosa. La buena noticia, entonces, es que en la actualidad los bebés que presentan alteraciones en su salud –denominados de *alto riesgo*–, pueden nacer a través de una operación cesárea de una manera más segura.

¿Y cómo impactan los recuerdos del nacimiento?

Curiosamente, algunas mujeres recuerdan de manera minuciosa los eventos ocurridos en el parto; otras manifiestan algunos recuerdos imprecisos, tal vez poco relevantes; y otras, en cambio, con el paso del tiempo no recuerdan ni por quién fueron asistidas, ni las instituciones en las que han nacido sus hijos, ni siquiera el peso de nacimiento. Para otras mujeres, el parto o aun la operación cesárea pueden ser eventos que quedan muy marcados en sus recuerdos por haber sido dificultosos, largos o tediosos y con complicaciones. La posibilidad de una episiotomía, un desgarro, la aplicación de un fórceps, una ventosa obstétrica o una inesperada operación cesárea puede significar un evento traumático en sus memorias. Para algunas mujeres el parto es motivo de su primera experiencia hospitalaria o sanatorial y la internación puede resultarles un evento más agresivo de lo que creían o esperaban. La necesaria pérdida de algún pudor, los exámenes vaginales, las agujas y los pinchazos para la colocación de un suero o la administración de medicaciones, la escucha de la frecuencia cardiaca fetal de manera continua, pueden ser eventos complejos pero necesarios por los que se debe atravesar al momento de parir.

Un segundo parto suele ser más sencillo en este aspecto, puesto que ya se ha pasado por la experiencia. Sin embargo, no es nada fácil dejar a los otros niños en casa y esta situación también suele agregar alguna dosis de preocupación o nostalgia.

La percepción de los partos y las operaciones cesáreas

Muchas veces, los recuerdos no son los deseados no tanto por la operación cesárea en sí misma sino por detalles propios de la intervención: la cantidad de gente que se encuentra presente en el quirófano, la aplicación de la anestesia peridural o raquídea, o algunas pequeñas dificultades propias del ambiente quirúrgico pueden hacer que los primeros momentos entre la madre y el hijo se vean un poco abreviados con respecto al parto vaginal. De todos modos, son muy relativos. Tanto es así que la diferencia entre los partos y las operaciones cesáreas consiste solo en la incorporación de dos personas más: el ayudante de la cirugía y la instrumentadora. En la actualidad, la intimidad en los partos institucionales puede diferir de las expectativas que poseen las embarazadas debido a que participan del nacimiento la obstétrica y el obstetra, la enfermera de sala de partos, la *nurse*, el neonatólogo y el anestesista. Ya eran muchos para un parto vaginal, y ahora son dos más para una operación cesárea.

Con respecto a la anestesia peridural o raquídea, la mayoría de las veces ofrecen una analgesia sumamente efectiva. Algunas veces, en cambio, las mujeres no sienten dolor pero perciben los tirones propios de la cirugía, cosa que les resulta algo desagradable.

Insisto, y en esto quiero ser prudente, en que con frecuencia los partos vaginales suelen tener sus momentos complejos, sobre todo durante los pujos finales y previos a la expulsión del feto.

No es infrecuente que las mujeres concurran a los controles de un nuevo embarazo con el antecedente de una operación cesárea pero desconociendo cuáles fueron los motivos de la intervención. Si bien explicar los motivos por los cuales tomamos determinadas actitudes es una responsabilidad médica, es importante que las mujeres también tengan un rol protagónico sobre las decisiones y un real conocimiento sobre los motivos que llevaron a una determinada intervención. Quizás esta sea la forma más correcta de transformar un evento inesperado o indeseado en un evento positivo. Queda claro que la participación de todo el equipo de salud en las decisiones también aportará confianza a las madres para enfrentarse y aceptar estos nacimientos. Es inaceptable que una mujer tenga que vivir la experiencia de un nacimiento por cesárea como una frustración personal. Es importante recordar y enfatizar que el objetivo y el esfuerzo deben estar dirigidos a tener un hijo y no a tener una determinada forma de terminación del embarazo.

Con respecto a la recuperación luego del nacimiento, en la actualidad no hay mucha diferencia entre un parto y una operación cesárea, considerando que el bebé pasa a la habitación con la madre en uno y otro caso y la movilización, la alimentación y el cuidado del niño son similares en ambos tipos de nacimiento.

LAS CICATRICES

Hay cicatrices por operación cesárea, por episiotomía o bien por desgarro propio del período expulsivo del parto. Por cierto, no suelen ser nada agradables.

El puerperio es sin duda un período complejo por distintos motivos que van desde los biológicos a los emocionales; y es claro que las cicatrices no ayudan a morigerar este momento, ya que los dolores son desagradables y también afectan el humor y el desempeño de una nueva madre.

La episiotomía suele ser una herida muy molesta, dado que se encuentra en una zona muy particular del cuerpo de una mujer. Su cicatrización no es nada sencilla debido a que está sometida a las tensiones propias de una zona de pliegue y en continuo roce por el propio movimiento de las piernas. Además se trata de un lugar húmedo y esto entorpece aún más el proceso de cicatrización. Estas molestias durarán por lo menos una semana y hay que decir que los analgésicos no demuestran una gran efectividad para este tipo de heridas. Tanto es así que un corbatín con hielo en la zona perineal suele ser más eficaz y reduce más la inflamación que los analgésicos comunes y aun los que tengan una mayor potencia analgésica.

La herida de la cesárea tal vez moleste menos que una episiotomía como herida en sí misma; las molestias que se perciben son propias de la apertura de la cavidad abdominal más que de la herida. Dado que el útero ha sido abierto quirúrgicamente, las contracciones posteriores al nacimiento (los entuertos) molestan más que luego de un parto vaginal. Además, debe recordarse que la succión del pezón por parte del bebé estimula la liberación de ocitocina para la eyección de la leche, lo que ocasiona contracciones que sirven para disminuir el sangrado.

Las molestias de la operación cesárea dependerán también de la actitud del equipo de salud. Recuerdo que muchos años atrás las mujeres permanecían casi dos días con suero, debían guardar reposo absoluto en cama, y no podían ingerir alimentos hasta tanto no lograran volver a eliminar los gases. Los bebés eran remitidos a la *nursery* para permitir la recuperación de las mamás. Hoy en día la actitud es completamente distinta. La técnica de la operación cesárea se ha simplificado notablemente a punto tal que suele ser una intervención que dura no más de 30 ó 40 minutos. Madre e hijo van juntos a la habitación y la ayuda para asistir el bebé se justifica tan solo en las primeras horas. En las primeras 12 horas se suele movilizar a las mujeres –hacer pis en la chata ya forma parte de la historia–. Lo mismo vale para la alimentación: en algunas maternidades, la mujer tiene una dieta general a las pocas horas. Seguramente hacia el final del primer día habrá logrado ducharse. La internación, si la evolución es adecuada, no suele durar más de 2 ó 3 días.

Las heridas pueden cubrirse con un adhesivo, por lo que prácticamente no existen más las curaciones, y se destapan recién entre los 7 y 14 días cuando se efectúa la extracción de los puntos. Esta actitud con respecto al período posterior a una cirugía abdominal es muy similar a cualquier intervención quirúrgica, lo que ha reducido de manera notable los tiempos de internación y la cantidad de analgésicos administrados.

Trastorno postraumático por el parto

Algunas mujeres suelen presentar lo que se denomina un trastorno postraumático luego de un parto. Puede deberse a distintos motivos. Dejamos por un momento de lado a aquellas mujeres que pueden sentirse frustradas porque sus expectativas no se han logrado.

Cuando hablamos de postrauma nos referimos a mujeres que se encuentran francamente alteradas en el plano emocional por haber padecido durante el nacimiento situaciones de riesgo que requirieron cirugías de urgencia, transfusiones sanguíneas, partos instrumentales, partos muy dolorosos donde la analgesia no ha sido suficiente o no ha podido ser administrada, como sucede en la mayoría de los hospitales públicos, o bien que han debido ser internadas en unidades de cuidados intensivos.

Debe recordarse –aunque no sea habitual que se mencione en los consultorios ni en los cursos de preparación para el parto– que así como los embarazos presentan riesgos también lo hacen los partos. El parto es la etapa final del embarazo, cuya duración no suele superar las 10 ó 12 horas y puede tener desenlaces inesperados. Si el embarazo es de riesgo, durante su curso se suelen analizar y predecir distintos aspectos de riesgo inherentes al parto y al nacimiento de un bebé prematuro o con problemas al nacimiento; cuando el embarazo es totalmente normal, los riesgos disminuyen pero no desaparecen. Raramente los obstetras comentamos eventos tales como desprendimientos de placenta, falta de retracción del útero luego de un parto o una operación cesárea, hematomas de la episiotomía o de los desgarros, desgarros del cuello, u otras patologías más raras pero complejas para la salud y la recuperación de la madre. No deben minimizarse tampoco los distintos trastornos en la salud física de la madre tales como el dolor, la anemia, el cansancio, las molestias por las sondas vesicales, los drenajes o la pérdida, por suerte esporádica, del útero. Quizás lo inesperado de lo ocurrido y la falta de preparación frente a estos episodios sean las causas que predisponen a una falta de adaptación y a los consiguientes trastornos emocionales de las nuevas mamás.

El bebé ha nacido con una "malformación"

Una mirada distinta merecen los nacimientos de niños que nacen con alguna *alteración estructural*. Utilizo el término alteración estructural y no malformación dado que no existe un patrón normal de corporalidad en nosotros y en realidad todos somos diferentes. Sin embargo, queda claro que algunos bebés, debido a ciertos problemas físicos o a la presencia de alteraciones genéticas o cromosómicas, pueden presentar trastornos en su adaptación a la vida extrauterina. Algunas de estas anomalías pueden ser detectadas antes del nacimiento y otras, en cambio, representan un sorpresivo hallazgo en la sala de partos.

Si el conocimiento es previo al parto, ya se habrá hecho el duelo por el hijo perfecto que no será. El diagnóstico prenatal busca exactamente que la predicción de estas situaciones sea previa al nacimiento para lograr que estos partos sean planificados y se realicen en instituciones pre-

la alimentación suele efectuarse a través de una sonda con leches maternizadas específicas para prematuros o bien mediante la misma leche de la madre.

Las maternidades no son hoteles, por lo que la internación de la madre debe concluir cuando se den las condiciones obstétricas y el alta es vivida como una separación muy desgarrante por parte de los padres. Dejar a sus hijos les produce un profundo dolor y angustia y no es infrecuente que despotriquen contra el sistema de salud.

Sin embargo, una internación prolongada de la madre puede ser perjudicial para su salud emocional. Lo que parece más cómodo se convierte en una permanente fuente de angustia. El cansancio, la falta de conexión con el medio externo, la alimentación repetida del hospital van minando las emociones de la mamá o de la pareja. Por ello, volver a casa, ver a sus otros hijos, dormir en la propia cama, ver el sol y la noche, comer una rica *pizza*, suelen dar energías más que necesarias para volver con otro espíritu a la unidad de cuidados intensivos.

En estos casos, la vida de la madre cambiará drásticamente, dado que además de tener todas las dificultades propias de cualquier puerperio deberá concurrir al servicio de neonatología desde la mañana hasta la noche; para ello deberá viajar, comer fuera de su casa, y como consecuencia de esta vida, los descansos serán muy breves y muy pocos. Muchas veces he escuchado a madres celosas porque las enfermeras de neonatología pasan mucho más tiempo con sus hijos y tienen una mayor "jerarquía" en el trato con ellos. Esto es más frecuente en las internaciones prolongadas. Para paliar estas dificultades, suele haber reuniones de padres de hijos prematuros para elaborar este u otro tipo de conflictos.

Por lo tanto...

- Una cosa es la visión idílica que se tiene del nacimiento y otra es la realidad.
- ¿El parto es el final o es el inicio? Lo dejo a su criterio.
- Aun en los mejores o en los más dificultosos partos, las mujeres suelen tener recurrentes memorias placenteras, molestas o traumáticas.
- Si el parto no ha sido como lo ha pensado, usted no es una "mala madre".
- Si su parto ha sido idílico, esto no garantiza que usted será una "buena madre".
- El objetivo de un nacimiento debe estar focalizado en tener un hijo y no en tener un parto vaginal, un fórceps o una cesárea.
- Cualquier situación desagradable o cualquier recuerdo reverberante debe ser consultado con el obstetra para intentar comprender las motivaciones de un mal recuerdo o un dolor que hayan afectado la experiencia del parto.
- Es importante reflexionar sobre la connotación de la naturalidad de un nacimiento en una escenografía institucional y moderna.
- El parto es el puente necesario entre el embarazo y el nacimiento. No siempre podrá atravesarlo como usted lo desea.

Capítulo 5

LAS EMOCIONES Y EL PUERPERIO

Hay pensamientos que son como oraciones;
en aquellos momentos en que sea cualquiera
la postura del cuerpo, el alma está de rodillas.

VICTOR HUGO

Hemos visto que el humor suele modificarse tanto durante el embarazo como luego del nacimiento. La primera explicación biológica responsabiliza a las hormonas como la causa más importante en su capacidad de afectar los neurotrasmisores, que no son ni más ni menos que los químicos cerebrales. Sin embargo, no pueden desconocerse otras causas –como las sociales y las emocionales– que son propias de cada biografía. Estas son responsables del estrés social nuestro de cada día, y entre las más frecuentes identificamos las dificultades económicas, la competencia en el trabajo, los celos que surgen a partir de esta nueva etapa laboral, la sensación de desvalorización por el cuerpo perdido, la aparición de enfermedades, una mudanza o la falta de apoyo de una pareja; todas tienen la capacidad de afectar negativamente el humor o el psiquismo de una embarazada. El apoyo psíquico y emocional pueden ayudar de manera notable a la recuperación de una mujer tanto durante el embarazo como luego del parto.

Las alteraciones emocionales son de distintos tipos y no son permanentes, a punto tal que su intensidad puede variar en los días sucesivos o aun durante una misma jornada.

Quizás –y en el afán– de encontrar una única causa que explique esta situación se encuentre la banalización que sufre la tristeza o la depresión posparto en nuestra sociedad. Otro tipo de depresiones logran contar con ayudas desde concretas a espirituales por parte de quienes rodean a las nuevas madres, mientras que el aislamiento es más propio del enfermo que de su entorno. En cambio, en la tristeza o en la depresión posparto, la incomprensión de los otros es casi total. En el imaginario de la gente común, si una madre ha tenido un hijo y el mismo está bien, ¿qué podría llevarla a la infelicidad? Es frecuente que una mamá sea juzgada como desagradecida frente a la dicha de haber tenido a ese hijo. Créase o no, la gente se vuelve poco solidaria y no comprende la miríada de sensaciones complejas que invaden el cuerpo y el alma de una puérpera. Así es como las mujeres encuentran poco espacio para poder expresar sus sentimientos y tan poca comprensión en los demás, lo cual las lleva a sufrir en silencio y en soledad. Ver a su médico obstetra no es sencillo, el pediatra apenas tiene tiempo para controlar al bebé, y las abuelas ya se han olvidado de las cosas que les han pasado cuando han tenido a sus propios hijos. Un encuentro con madres que recién han parido puede resultar sumamente útil y estoy seguro de que constituiría el ámbito adecuado para expresar con libertad los problemas y las angustias, dado que la similitud de los mismos es casi universal; sin embargo, cada una de ellas también se encuentra aislada y recluida en sus propios sentimientos, y las tan mentadas reuniones con padres suelen fracasar por las dificultades para movilizarse que tienen estas mamás y papás en horarios razonables.

¿Obstetricia y emociones? ¿Psiquiatría y embarazo?

A diferencia de lo que creen la mayoría de las personas, el embarazo o el nacimiento de un hijo no son siempre experiencias felices; tanto es así que no son pocas las mujeres que pueden sufrir un estado depresivo durante el mismo. Por otro lado, la depresión no es como la fiebre o los glóbulos rojos, que pueden medirse con un discreto grado de exactitud. La depresión es una sensación anímica que puede o no ser objetivada por las personas; por momentos, puede pasar desapercibida y, en raras oportunidades, suele ser un motivo de consulta concreto. Por ello nos resulta difícil aceptar que aproximadamente un 15 a 20% de las mujeres sufren de depresión durante el embarazo o el puerperio y, a su vez, un 10 a 15% de ellas tienen ideas suicidas (1 de cada 100 aproximadamente).

Si les comentara que tengo dificultades para conciliar el sueño y que me despierto varias veces por noche con sensación de angustia, o que he perdido el apetito y me siento desganado y siempre cansado, no dudo que la mayoría de ustedes me diagnosticaría depresión y me sugerirían una terapia psicológica y aun medicación para resolver esta situación. La enorme mayoría de las embarazadas tiene síntomas similares y la respuesta que reciben por parte de su familia, amigos y médicos, es que estos sentimientos y sensaciones durante el embarazo y el puerperio son normales y que todo pasará con el tiempo como por arte de magia.

Algunos médicos ya habían percibido estas situaciones de distinta manera; tanto es así que desde hace más de 60 años la obstetricia ofrece la preparación psicofísica para el parto o la psicoprofilaxis, o la preparación para la maternidad. Todo surgió como una herramienta que sirviera de ayuda a las mujeres a soportar mejor los dolores del parto mediante técnicas respiratorias y de relajación. Hoy, sin embargo, estos cursos o encuentros ponen un especial énfasis en los aspectos emocionales tanto del embarazo como del puerperio. Lo mismo vale para otras intervenciones como el yoga o las terapias individuales donde, de una manera u otra, se analizan los aspectos relacionados con la novedad, la curiosidad intelectual, el conocimiento del cuerpo, el aumento de la seguridad, la participación del padre, y la llegada y crianza de un bebé. Del mismo modo hoy, y con el mayor conocimiento del riesgo de las drogas psicotrópicas, la medicación farmacológica de estos estados emocionales es muy frecuente; algunos profesionales consideran incluso que en aquellas mujeres que ya reciben medicación es preferible no suspenderla y, en todo caso, si hubiere una polimedicación, se sugiere reducir a una droga única antes que suspender la medicación, para evitar la reagudización de un estado depresivo, desde moderado a severo. Se estima que ante la suspensión de una medicación y frente a un estado depresivo mayor, la reagudización puede darse en un 70 a 75% de los casos.

En estas situaciones el rol del obstetra se ve severamente cuestionado debido a que no hemos sido preparados para lidiar con los temas emocionales y todo nuestro entrenamiento ha consistido en aprender las habilidades psicomotoras necesarias para asistir al nacimiento de un niño mediante un parto vaginal, aplicar un fórceps o una ventosa, o efectuar una operación cesárea; también hemos sido entrenados para llevar un control de la salud de la embarazada durante la gestación, efectuar o interpretar una ecografía y evaluar tanto el crecimiento como la salud y la maduración de un feto; aceptamos las preguntas sobre la dieta, los ejercicios físicos, las molestias corporales propias de las modificaciones que le impone el embarazo al cuerpo materno; sin embargo, las mujeres no perciben que puedan compartir con nosotros las distintas angustias o problemas personales, y por qué no, psicosociales que impone un embarazo. Con lo cual nosotros no preguntamos –ni a nosotros se nos pregunta– y así la mujer queda en una suerte de desamparo frente a estos problemas. Claramente, esta situación debiera solucionarse en nuestra formación de posgrado, lo que no veo que se encuentre cerca ni sea sencillo, ni sea preocupación de los cuerpos docentes.

TRASTORNOS EMOCIONALES

Es muy frecuente que en nuestras conversaciones digamos o escuchemos "estamos deprimidos". Utilizada de manera coloquial, la palabra depresión nos resuelve una cantidad de alteraciones emocionales tales como la tristeza, el agotamiento sin una causa específica, o simplemente el hecho de que nos sintamos con el "animo caído". Estas sensaciones afectan nuestra actividad o el rendimiento de nuestra vida cotidiana. También las embarazadas, aun las que se sienten más felices por haber logrado este objetivo, sienten, por momentos o de manera intolerable, sensaciones de inseguridad, miedo, pensamientos ambivalentes, etcétera.

Existen por lo menos cinco estados emocionales que afectan el psiquismo de una mujer después del parto. Como dijimos anteriormente, estas categorías, así como sus síntomas, no son estables sino que pueden modificarse a lo largo del tiempo.

La tristeza posparto

Afecta a casi el 80% de las madres y por ello no tiene categoría de enfermedad; suele comenzar al final de la primera semana luego del parto y puede durar unas pocas semanas.

Los síntomas suelen ser: inestabilidad emocional, congoja, tristeza, ansiedad e incapacidad de concentración, por citar los más frecuentes. También hay una sensación de pérdida de la libertad o de dependencia absoluta hacia el bebé;

estas sensaciones provocan sentimientos ambivalentes de amor y odio hacia la nueva posición de la madre. Durante el embarazo todo el entorno de la embarazada la protegía, se preocupaba y mostraba curiosidad por su embarazo; una vez nacido el bebé, todas las miradas confluyen en el recién nacido, que por otro lado, es la novedad y el "objeto" a descubrir y conocer.

Las causas de la tristeza puerperal son fáciles de comprender si se tienen en cuenta los cambios hormonales, los cambios que se producen a nivel físico y emocional debidos al parto o al nacimiento, los dolores propios de las cicatrices por un desgarro, una episiotomía o la herida de la cesárea, la ingurgitación mamaria, la ansiedad que provoca el cuidado del niño así como el repentino incremento en los niveles de responsabilidad; también deben sumarse el cansancio y la fatiga por la falta de sueño y los cambios y las discusiones que se producen en la relación de pareja con respecto a los roles de cada uno, la intromisión de los abuelos, o el cuidado del niño.

El cuidado del bebé no es técnicamente complicado sino interpretativamente dificultoso. ¿Qué serán los llantos?, ¿cólicos?, ¿gases?, ¿sueño?, ¿hambre?, ¿angustia? Imposible de saber. Las estrategias a mano son muy pocas: acunarlo, darle teta, poner la música de Schumann o de los Rolling Stones para bebés que, aunque no ayuden, nos permiten tararear alguna canción en medio del caos. Adivinar al bebé es todo un arte y, como tal, difícil de aprender.

Depresión o ansiedad posparto

Afecta al 15-20% de las puérperas. Su aparición puede ocurrir en cualquier momento dentro del primer año y no es infrecuente que pueda ser un aspecto evolutivo de una tristeza puerperal no resuelta satisfactoriamente. Quizá el síntoma principal sea el exceso de preocupación sumados a la ansiedad, la irritabilidad y los cambios repentinos de humor. Las mujeres no logran recuperarse del cansancio que implica el cuidado del niño, con lo cual no consiguen descansar de manera adecuada, lo que inevitablemente ocasiona una falta de concentración y desinterés por los hechos mundanos y cotidianos. La recuperación física también se resiente, por lo que presentan trastornos en el apetito que producen pérdida o incremento de peso. La sexualidad, asimismo, es afectada y la pérdida de la libido puede ser no solo un aspecto desagradable para la mujer sino que además puede aportar más tensión a la relación de pareja.

En resumen, un cierto grado de desesperanza, la culpa, la abulia y el agobio suelen perjudicar la calidad de vida durante el primer año.

Estos cuadros son más frecuentes en aquellas mujeres con antecedentes de depresión y sobre todo si han tenido una depresión posparto en un anterior nacimiento. También pueden verse estas alteraciones del humor en algunas mujeres durante sus períodos menstruales o durante la toma de anticonceptivos orales. Los embarazos vividos con angustia también constituyen un factor de riesgo significativo. Es importante además que, en estas mujeres, se investigue el funcionamiento de la glándula tiroides.

Trastorno obsesivo-compulsivo

Se estima que aproximadamente un 3% de las nuevas madres pueden presentar este trastorno.

Estas mujeres viven una vida que sienten no poder controlar, sus mentes se encuentran asoladas por pensamientos desagradables con respecto a la salud del bebé, con miedos y pesadillas de que algo pudiera sucederle o que alguien pudiese dañarlo. El exceso de aseo hacia el cuerpo, la vestimenta y los enseres del niño suelen ser muy frecuentes. El miedo a salir de paseo con el bebé, el miedo a las plazas, a la gente desconocida, hacen que la mujer solo se sienta segura en un espacio determinado de su casa. Son conscientes de su situación y necesitan que los demás les aseguren que no están en un estado de locura.

Estas personas tienen historias previas de alteraciones obsesivo-compulsivas.

Ataques de pánico

Ocurre en aproximadamente un 10% de las puérperas.

Suele tratarse de mujeres que viven momentos de enorme ansiedad, con manifestaciones físicas tales como la falta de aire, dolores en el pecho, mareos y náuseas, palpitaciones, episodios de sudoración con calores y fríos repentinos.

Estas mujeres se recluyen en sus casas, y no logran proyectarse a espacios libres precisamente por temor a que, ante un nuevo ataque de pánico, no estén en condiciones de cuidar en forma adecuada de sus hijos.

Psicosis

Ocurre aproximadamente en 1 de cada 1.000 mujeres y en general se presenta en las primeras horas posteriores al parto. Los suicidios e infanticidios suelen darse en estas mujeres y de hecho esta entidad puede ser un atenuante legal ante estos graves hechos.

Las mujeres psicóticas presentan alucinaciones y están fuera de control. No logran hacerse cargo del bebé y llegan a tener intensas sensaciones o necesidad de matar al niño o de arrojarlo por fuera de su vista. Los antecedentes de esquizofrenia, psicosis o trastornos bipolares son factores de riesgo muy marcados.

Estrés postraumático

Esta es otra situación emocional, menos definida que las anteriores, en la que las mujeres suelen sufrir una gran ansiedad que generalmente está dada por un parto prematuro inesperado o traumático, el nacimiento de un niño con alguna malformación o enfermedad o bien luego de una muerte fetal o por el fallecimiento de un recién nacido.

No solo se encuentra menos definidas que las entidades psíquicas que mencionamos anteriormente, sino que además no se sabe con certeza cuál es su incidencia dado que su estudio epidemiológico es sumamente dificultoso.

Los síntomas más importantes son la ansiedad en niveles superiores a los habituales y las pesadillas. Existe alguna asociación con eventos ocurridos en el pasado y relacionados con la infancia, con enfermedades o con aspectos emocionales. Estas mujeres se sienten muy afligidas y aterrorizadas con sus recuerdos y no tienen capacidad de ver un futuro promisorio y alentador.

La mayoría se pregunta qué las ha llevado a sentir esta situación de una manera tan desesperante. Sienten que nadie las comprende, que se encuentran solas transitando este dificultoso período donde todo debería ser felicidad; se sienten fracasadas como mujeres, como madres y como esposas, y piensan que nunca volverán a ser las de antes.

¿QUÉ PODEMOS HACER POR USTEDES?

No cabe duda de que, con una terapéutica específica y la ayuda de familiares y amigos, se logrará salir de estas situaciones que se asemejan realmente a pesadillas; entre todos deberemos reforzar la autoestima de la embarazada con argumentos valederos y creíbles; es importante mencionar que la mayoría de las mujeres se ha recuperado de situaciones similares, que no son culpables, que no se encuentran solas, y que con medidas adecuadas lograrán superar este trance.

Estrategias menos convencionales

Existen otras estrategias que deben ser tenidas en cuenta. Por ejemplo, una alimentación bien balanceada. El exceso de dulces puede provocar un aumento de la glucemia y es probable que esto afecte el humor de las personas que ya presentan alteraciones emocionales. Algunas mujeres se encuentran tan extenuadas que, junto a la pérdida del apetito, suelen alimentarse insuficientemente. Por ello, por ejemplo, puede ser de gran ayuda pedir a alguna persona dispuesta que colabore con la cocina y con el cuidado de la casa; una simple actitud, como colocar en el *freezer* algunas comidas para ser utilizadas cuando el tiempo escasea, puede representar un gran alivio.

En los primeros días no es recomendable iniciar dietas estrictas de adelgazamiento o programas extenuantes de actividad física tendientes a devolver la silueta anterior, debido a que la posibilidad de fracaso es muy alta, y lo único que se logrará es afectar aun más la deteriorada autoestima.

Hemos mencionado al cansancio como un convidado casi sistemático de las alteraciones emocionales. Se estima que las depresiones son aun más frecuentes y con menor capacidad de recuperación cuando las personas no logran dormir por lo menos 5 horas seguidas. Por ello es recomendable que, si se cuenta con una persona de ayuda o la pareja muestra intenciones de colaborar de manera concreta, se intente compartir el cuidado del niño durante la noche. En la actualidad se puede guardar la leche de manera muy segura en los *freezers,* por lo que las parejas pueden darle un biberón con leche materna, extraída en las diversas puestas al pecho durante el día. Si no es posible implementarlo todas las noches, ayuda realizarlo durante algunos días de la semana y tal vez aprovechar los fines de semana cuando se puede dedicar un tiempo compartido con la pareja para alcanzar algunos objetivos que mejoren la calidad de vida de las mamás.

Lograr alguna rutina liviana y lúdica de ejercicios físicos puede mejorar el humor de manera notable, para lo cual también será fundamental contar con alguna persona que cuide del niño. Lo mismo vale para las salidas fuera del hogar, que por distintos motivos o excusas se interrumpen, haciendo que el espacio que domina la mamá no sea superior al de las cuatro paredes de la habitación.

No cabe duda de que estas estrategias podrán lograrse siempre y cuando se cuente con el apoyo de su pareja, parientes, amigos o vecinos. Existen algunos sitios en Internet en los que se puede contactar a otras madres que mostrarán interés en lo que le está sucediendo y que harán alguna devolución mostrando que sus problemas no son propios sino casi universales en las mujeres durante el puerperio.

Si se considera necesario recurrir a alguna medicación, es importante informarse con su psiquiatra y el pediatra sobre los efectos que esta puede tener sobre el bebé. Sería más que conveniente que ambos profesionales se pusieran en contacto para acordar criterios sobre las dosis y los efectos en la lactancia. No se sienta afligida por tomar medicación y en todo caso confíe en que la misma le devolverá la personalidad que tenía antes del embarazo.

POR LO TANTO...

- ¿Volveré alguna vez a sentirme feliz? No lo dude, pero trabaje para lograrlo y recuerde que la felicidad es algo muy personal por lo que solo usted sabrá cuáles son los medios para lograrla. No tenga, sin embargo, expectativas infundadas y trate de ser realista.

- ¿Por qué me suceden estas cosas a mí? No solo le ocurren a usted; estas situaciones emocionales son más comunes de lo que piensa, pero nadie suele mencionarlas por miedo a la opinión de los demás.
- Usted es, le guste o no, una conjunción de factores individuales, biológicos, psicológicos y sociales que sumados a situaciones de crisis pueden desencadenar alteraciones emocionales desde banales a muy graves.
- La colaboración de los demás puede ser muy útil para mejorar su estado de ánimo.
- No sufra en soledad y pida ayuda a los que la rodean, y también a su médico.

CAPÍTULO 6

LA VUELTA AL TRABAJO

Todos nacimos originales y morimos copias.

CARL G. JUNG

A veces no haces nada,
porque no puedes hacer mucho.
Más vale que hagas algo.

MICHEL QUOIST

La historia muestra que las madres han trabajado siempre; pero la sumatoria de maternidad y trabajo son un campo de reflexión minado de contradicciones. Es posible que estas contradicciones surjan, como suele suceder la mayoría de las veces, por pautas culturales que, sobre todo en los inicios del siglo XX, promovieron la visión según la cual una buena mujer era aquella que se quedaba en la casa a cuidar a sus hijos y no aquella que los abandonaba en búsqueda de una gratificación personal –no es el caso de las mujeres cuya situación económica era tan devastadora que tornaba imprescindible la necesidad de dejar la casa en busca de un trabajo para solventar el sustento económico–. En la actualidad, apenas el 17% de las familias de EE.UU. tiene solo un miembro de la pareja en el mundo laboral. En una generación anterior, ese porcentaje era del 63%.

Queda claro entonces que cada vez que le preguntamos a una mujer qué hará con su futuro laboral, la estamos sometiendo a una respuesta difícil, emocional y conflictiva, e indefectiblemente –y quizá de modo irresponsable– caeremos en la sencilla tentación de juzgar la respuesta que recibiremos. Admitamos que algunas mujeres disfrutan más de su trabajo que de estar todo el día con sus hijos, lo que no es ni más ni menos que una elección muy respetable y, por qué no, comprensible. Las decisiones, además, nunca suelen ser para toda la vida, sino que se van modificando con el pasar del tiempo y, muchas veces, tenemos o podemos revisarlas, por obligación u elección. No es lo mismo tener un hijo, que dos o tres, y esto suele marcar algunas diferencias. Algunas mujeres quedan embarazadas durante el curso de sus estudios y una vez logrado el objetivo de un título o de alguna habilidad, que pueda ser remunerativa, deciden ingresar en el mundo laboral o retomar algún trabajo anterior. Además, no siempre se hace lo que se debe sino que muchas veces tan solo lo que se puede. En la misma dirección, las decisiones no siempre se toman sobre la base de gustos propios sino pensando en los hijos, en la pareja, en la familia, en el futuro. Erróneamente solemos pensar que el tren pasa una sola vez en la vida; la realidad es menos agobiante y el tren pasa con frecuencia y uno puede subirse y bajarse de él las veces que quiera. De ahí que en lugar de plantear las situaciones como definitivas – "para siempre"– se puede optar por elecciones momentáneas –"por ahora" o "por un tiempo"–.

Teniendo en cuenta la multiplicidad de roles que deberán desempeñar a lo largo del día, las mujeres viven con gran preocupación la vuelta al trabajo luego del nacimiento de su hijo. Además, aparece una otra vez y de manera constante el sentimiento de culpa puesto que, por un lado, deberá separarse de su hijo y, por otro, percibe que su capacidad de concentración, así como la intensidad y la efectividad laboral se verán probablemente disminuidas. Cuando una mujer que se ha convertido en madre trabaja, es siempre madre. No creo que ocurra lo mismo en el caso de un hombre.

Sin embargo, pauta cultural e historia no siempre se dan la mano; la mayoría de las mujeres siempre ha trabajado y, en todo caso, muchas quisieran o hubieran querido hacerlo y no lo han logrado.

Debe quedar claro entonces que mujer, niño y trabajo no son una combinación sencilla. Si comparamos a una madre con una mujer sin hijos veremos que esta última tiene más tiempo, más dinero, menos trabajo en su casa, menos dificultades para estudiar y una mejor aceptabilidad por parte de los empleadores. El imaginario del empleador supone que una madre faltará más días a su trabajo no solo por sus propias enfermedades sino por las de su hijo. Lo único que se me ocurre decir por ahora es que si muchas lo han logrado, usted también podrá. Manejar el estrés que provoca esta situación es una de las llaves para ganarle a tanta desconfianza.

Por otro lado, me gustaría introducir un par de conceptos provocadores que trataré de desarrollar a lo largo de este capítulo:

– Los niños ganan más de lo que pierden cuando sus madres logran trabajar.
– Nunca como en la actualidad las madres han pasado tanto tiempo junto a sus hijos.

UN POCO DE HISTORIA

Insisto: las mujeres siempre han trabajado. Lamentablemente, lo han hecho a la sombra en ocupaciones poco o nada ponderadas por la sociedad. El trabajo doméstico ha sido, seguramente, la opción laboral más frecuente, mientras que el reproductivo, voluntaria o involuntariamente, se ha constituido en otra de las enormes tareas femeninas no remuneradas –ni calificadas–.

Es bueno que recordemos que el proceso reproductivo –gestación, parto, lactancia– debe ser visto como un intenso trabajo biológico durante el embarazo y el parto y, luego, como una labor social a través de la crianza y cuidado de los hijos. Los riesgos, costos, y responsabilidades son asumidos en su mayoría por las mujeres. La calidad del "producto" de este trabajo, un hijo, tiene para la sociedad un valor incalculable y debe ser visto como una forma de rentabilidad social; si el nacimiento, el crecimiento y el desarrollo de un nuevo individuo son satisfactorios, es más que probable que estas ventajas le permitan llegar a la vida adulta en las mejores condiciones posibles para integrarse activamente a la sociedad.

Trabajo y remuneración no siempre van de la mano en la vida de las mujeres. En la antigüedad ha sido motivo de intensos debates; no pocos hombres pensaban que el trabajo de las mujeres no debía ser remunerado. Históricamente las mujeres de clase media y de clase media alta no necesitaron trabajar, pero no olvidemos que en el mundo estas mujeres siempre han representado una selecta minoría. Existen evidencias históricas que muestran que en el siglo XV, XVI y XVII las mujeres atendían bares y lugares de comida en la calle. Otras, en cambio, eran campesinas, como hoy lo son una enorme cantidad de mujeres en América Latina, Asia o África. La era industrial incorporó a un número importante de mujeres al trabajo en fábricas, sobre todo en la industria textil; seguramente la mayoría de ellas tenían hijos. No queda claro, a partir de los relatos de las novelas de antaño, si estas mujeres se torturaban pensando que su trabajo era inadecuado, puesto que debían dejar a sus hijos en casa; por otro lado, los mismos niños se incorporaban al mercado laboral rápidamente, ya que las escuelas eran poco comunes y en su mayoría se trataba de institutos que regenteaban las iglesias y eran pensadas para la educación de los hijos de los pudientes. Se sabe que en Gran Bretaña la escuela fue obligatoria desde 1881, pero ha sido enorme el esfuerzo para que los padres llevaran a sus hijos al colegio, dado que preferían que sus hijos contribuyeran con el presupuesto familiar a través de su trabajo; el conocimiento y la educación no parecían relevantes, dado que no aportaban dinero en lo inmediato. Aprender el oficio de los padres constituía un valor superior al de la erudición. Se estima que a fines del siglo XIX por lo menos dos millones de niños norteamericanos trabajaban en las minas, en las fábricas de vidrio, en la industria textil o en la tabacalera y como personal doméstico.

Hoy no es frecuente que un niño pueda atarse los cordones de sus zapatos a los 6 años de edad. Sin embargo, dos siglos atrás, a la misma edad, eran capaces de bordar y tejer, de manera casi sofisticada. Seguramente ya podían dominar algún instrumento musical y rápidamente los mayores se ocupaban de sus hermanos menores.

Las mujeres tenían como misión principal la de parir a sus hijos, pero la educación no era obligatoria.

Es probable que las cosas se hayan modificado en los inicios del siglo XVIII con la llegada de la pediatría como una especialidad de la medicina. Uno de los aspectos más importantes del trabajo pediátrico ha sido el registrar la mortalidad infantil que, por ejemplo, en Inglaterra era de aproximadamente un 15% al año de vida. Los niños morían de bronquitis, diarrea, tos convulsa. Estas muertes fueron asociadas, con mucho criterio, a la falta de cuidados, al hacinamiento en los hogares, al consumo de dietas no balanceadas y a los alimentos en mal estado de conservación, así como a la falta de aseo y a las aguas contaminadas. En los países donde había guerras se estimulaba la permanencia de las madres en sus casas para cuidar a los niños que debían crecer sanos y fuertes para poder, en el futuro, ser soldados aptos para la guerra. El nacimiento de la pediatría provocó un brusco descenso de la mortalidad.

Este particular momento de la historia tuvo varios hechos emblemáticos: se promovió, por ejemplo, la lactancia natural y se desalentó el arropamiento de los niños. Además, comenzó a ser menos frecuente el envío de los niños a los colegios pupilos y las madres, en consecuencia, se involucraron en –y se responsabilizaron por– la educación de sus hijos.

Los mensajes, sin embargo, eran sumamente culpógenos: los malos resultados en la salud de los niños se atribuían a un insuficiente o mal cuidado por parte de sus madres. A su vez, y como contrapartida, la homosexualidad, por ejemplo, se veía como la consecuencia de un exceso de cariño y afecto por parte de la madre.

La psicología también empezó a tener su protagonismo en la educación de los niños. Casi de inmediato se dejó de lado el concepto de que, como infantes, podían ser modelados según el criterio de los padres, para comprender, en cambio, que cada niño tiene características individuales propias y que las estrategias educativas deben adecuarse a su personalidad y la de los padres. Esta última visión, sin embargo, desemboca en una peligrosa distinción muy común en nuestros días: catalogar a los padres como buenos o malos. Aún persiste la creencia de que la buena educación logra "buenos niños".

Muchos han sido los cambios, los mensajes y los escenarios que incidieron en las madres al momento de decidir –si tuvieron la oportunidad– si trabajar o quedarse con sus hijos en casa.

LA LICENCIA POR MATERNIDAD

Este es otro de los temas controvertidos del sistema de seguridad social en todo el mundo. Las posiciones a favor y en contra de su ampliación son motivo de debate permanente. Nuestro país, cuya normativa se encuentra actualmente en revisión, permite una licencia de 90 días para el nacimiento que suele tomarse 30 días antes y 60 días después del parto. En las distintas modalidades intervienen las trabajadoras, los empleadores, las ART y el certificado médico expedido por los obstetras. En Europa hay acuerdos políticos para extender esta licencia a una duración mínima de 20 semanas. Sobre esta base, no son pocos los empleadores que protestan por el altísimo costo que les genera. Existen diferencias según los países; por ejemplo, en Francia el derecho contempla 16 semanas, en el Reino Unido son 26 y en Alemania, 14. Sin duda, pasar más tiempo con un bebé luego del nacimiento es un objetivo loable, pero no se puede soslayar el hecho de que este tipo de medidas tiende a discriminar a las mujeres en el mercado laboral. Visto de otra manera, las mujeres bregan por una igualdad laboral, por un lado, que pierden por otro. Difícilmente, la justicia podrá resolver esta coyuntura. No podemos olvidar que estamos en una sociedad machista donde los hombres sacan ventajas sobre esta licencia, profundizando las desigualdades en el mercado del trabajo.

No obstante, hay quienes piensan que, en cambio, alargar la licencia por maternidad permitirá prolongar el tiempo de estadía de una madre con su hijo y una mejor recuperación de su cuerpo, aumentará el tiempo de lactancia natural y todas estas cosas juntas, sumadas a otros beneficios, configurarán una sociedad mejor con ventajas para todos y no solo para el hijo y la madre. Lo cierto es que, más allá de tan diversas opiniones, elegir una familia o tener un hijo tiene sus pro y sus contra, y no solo beneficios, como algunos tiernos creen.

LA MADRE TRABAJADORA EN NUESTROS DÍAS

La "buena" o "mala" madre ha sido motivo de un intenso debate en los últimos siglos y aún persisten las dificultades a la hora de las definiciones.

Se ha pretendido alejar a las mujeres del mundo laboral con la excusa de que el cuidado de sus hijos ya era un enorme trabajo. No me quedan dudas que dedicarse a los hijos es una ocupación y una tarea extenuante, pero alejarse del trabajo con la excusa de los hijos también encierra una trampa.

Muchas mujeres hoy trabajan, tienen un oficio, son profesionales y universitarias y compiten codo a codo con los hombres en los distintos puestos de trabajo. Es lamentable que no haya suficientes publicaciones que investiguen la posición de la mujer en el trabajo, que muestren que las mujeres ganan significativamente menos que los hombres. Esta crisis de igualdad se sigue perpetuando en el tiempo. Una explicación simplista –pero no por ello menos cierta– es que los cargos más importanes, así como la conducción de los sindicatos, aún se encuentra en manos de hombres, y las mujeres, por tanto, apenas pueden cubrir algunos de estos puestos.

Cada vez hay más mujeres que postergan su maternidad por los estudios, por una carrera a favor del dinero, intentando ser madres luego de los 35-40 años. El gran desafío de muchas mujeres ya no es el porqué sino el cómo combinar las distintas expectativas personales con la maternidad.

Una madre que trabaja está en una posición más democrática, más equitativa en la pareja. Produce al igual que el hombre y algunas veces incluso gana más que él. Un hombre que es el único sustento de un hogar adquiere un poder subliminal o elocuente en lo cotidiano de una familia.

Vistas así las cosas, las mujeres se enfrentan a cuatro posibilidades: volver a su trabajo anterior con horario completo, volver con una menor dotación horaria (*part-time*), trabajar desde casa (*home office*) o bien dejar el trabajo y convertirse en madres de tiempo completo.

DEJAR DE TRABAJAR

Tener un trabajo hoy en día no es un derecho, sino prácticamente una bendición. La última crisis financiera mundial de 2008 nos muestra que, para este decenio, se podrían llegar a sumar unos nuevos 55 millones de desocupados al alicaído mercado laboral. Además, haber logrado un trabajo seguramente no ha sido sencillo y por ello dejarlo puede resultar traumático. En estos casos, lo importante es ponderar con severidad cada una de las opciones. La mirada no debe estar puesta solo en los aspectos económicos, sino también en los personales. Lo mismo ocurre con aquellas mujeres que tienen un hijo durante sus estudios y que la mayoría de las veces deben dejar de estudiar. Sin querer jerarquizar una actitud sobre la otra, me permito recordar que el trabajo es casi un privilegio, es independencia económica y democratiza las relaciones de pareja.

Según distintas investigaciones, un tercio de las mujeres universitarias graduadas nunca tendrá hijos porque prefieren dedicarse a su carrera en vez de ser madres. Un estudio reciente ha encontrado que, en tan solo una década, han aumentado en un 20% las mujeres de 35 años, con un alto nivel de escolaridad, y sin hijos. Mientras que algunas mujeres graduadas están tomando la decisión consciente de no tener una familia, otras simplemente logran su proyecto familiar más tarde. Esto ocurre recién después de los años que les toma construir sus carreras, comprar una casa y encontrar a la pareja adecuada. Las graduadas que, en cambio, se convierten en madres, están teniendo menos hijos y cada vez más tarde. La disminución general de la población está siendo evitada solo por la inmigración y por una mayor tasa de natalidad entre las mujeres no graduadas. Recientemente, el Instituto para el Desarrollo y la Formación Laboral de los Trabajadores en Italia mostró que el nacimiento de un niño era uno de los principales motivos por los que las mujeres dejaban sus puestos de trabajo. Para la mayoría de ellas, los salarios son inferiores a los de las cuidadoras o a los costos de las guarderías. Por tal motivo, las mujeres no buscan trabajo, mientras que los varones buscan en cambio un segundo trabajo para afrontar los gastos del nacimiento de un hijo. El 85% de los hombres sin hijos trabaja, mientras que aquellos que trabajan y tienen al menos un hijo representan el 98%. Para las mujeres, en cambio, la situación es inversa: la actividad de las mujeres con primer niño desciende de un 63 a 50%. Aquellas que deciden dejar su trabajo se van alejando –a medida que el hijo crece– de las posibilidades de volver a su trabajo anterior. En la mayoría de los países, las mujeres de clase media recién planifican un embarazo cuando su pareja ha logrado una determinada posición y estabilidad laboral. Además, se sabe que las restricciones que imponen la pérdida de un salario se observan sobre todo en un descuido de su persona y en una menor dedicación a las actividades recreativas o de diversión. Por estos motivos, no nos debe llamar la atención los beneficios económicos y fiscales que otorgan los países centrales para estimular la natalidad entre sus propios habitantes. Por ello, resulta muy positivo que los empleadores sean flexibles con sus empleadas mujeres, así no deberían tener que elegir entre sus proyectos reproductivos o sus trabajos y/o estudios.

TRABAJO A TIEMPO COMPLETO

Si bien son muchas las causas que pueden llevar a una madre a trabajar a tiempo completo, no hay duda que existen algunas causas que son las más frecuentes. La desocupación de su pareja, la necesidad del dinero, o el no poder delegar una actividad –como por ejemplo, un comercio propio–, hacen que las decisiones sean taxativas. En otros casos, la decisión pasa por la oportunidad de tener un trabajo con una muy buena remuneración donde no se cambia el dinero por una persona que cuida a su hijo sino que muchas veces multiplica holgadamente los costos de ese cuidado; para otras mujeres, en cambio, volver a trabajar significa salir de la casa y no ser una madre a tiempo completo o una ama de casa; en estos casos se privilegia el uso de la inteligencia y el contacto con otras personas; para estas mujeres, el sentirse activas y estimular su autoestima servirá para tener una mejor relación con el resto de su familia. Y, si bien en la mayoría de los casos se tiene pensamientos ambivalentes, es probable que la mayoría de estas mujeres disfrute del hecho de no estar todo el día en su casa y al exclusivo cuidado de sus hijos. Pero no es menos cierto que la mayoría cree que, aunque haya un padre en la casa o alguien que se ocupe de ellos o los niños concurran a un jardín maternal, la educación así como el cuidado del hogar es en mayor medida responsabilidad de las madres.

Se estima que aun trabajando a tiempo completo, el 70% del cuidado de los niños está dado por las madres y el tiempo restante por los padres. De alguna manera, pareciera que las madres deben reparar todo el tiempo que no han pasado con sus hijos durante sus tareas laborales, dedicándoles mucho tiempo cuando regresan a sus hogares. Esta actitud es válida en tanto y en cuanto no entren en una espiral de extenuación; luego de una jornada laboral de 8 horas más el tiempo que insume el viaje al lugar de trabajo, tanto mujeres como hombres deberíamos descansar. Y todavía no incluimos en la cuenta el cuidado personal físico, el ocio, el tiempo íntimo con la pareja…

TRABAJO PART-TIME Y TRABAJO EN CASA (HOME OFFICE)

No son muchos los trabajos de media jornada o part-time, y obviamente suelen ser menos remunerados que los de tiempo completo. Pero pueden ser una opción válida para muchas mujeres que desean tener una discreta cantidad de tiempo dedicado al cuidado de sus hijos y mantener una relación laboral. Este tipo de trabajo conjuga el estar fuera de casa medio día, lograr un ingreso económico propio y tener tiempo de dedicación a los hijos. Es bueno que las futuras mamás vayan explorando en sus empresas o en sus actividades esta modalidad. Algunas actividades pueden además desarrollarse en el propio hogar en lo que los sajones hoy conocen como *home office*. Los costos de las oficinas, la epidemia de gripe H1N1, la informática y la posibilidad de comunicación a distancia por Internet, han sido buenos estímulos para la proliferación de esta modalidad de trabajo que con seguridad continuará creciendo.

¿QUIÉNES CUIDAN A LOS NIÑOS MIENTRAS LAS MUJERES TRABAJAN?

Este punto es crucial, dado que no contar con sistemas de apoyo adecuados para seguir trabajando es lo que hace que, en los países desarrollados, muchas mujeres abandonen la idea de tener hijos y esta situación sea la responsable de las importantes caídas en las tasa de natalidad. Debe recordarse que en muchos de estos países la educación secundaria es obligatoria, por lo que el cuidado de los niños no parece una opción laboral válida luego de tantos años de estudio. Además, para las jóvenes, no resulta atractivo permanecer todo el día encerradas en una casa con uno o más niños pequeños.

Para las madres no hay situaciones ideales cuando se trata de encontrar un reemplazo para cuidar a sus hijos. Sin embargo, para poder trabajar deben aceptar algunas de las opciones que se les ofrecen.

Tiempo atrás, y tal vez aún en la actualidad, en algunos sectores carenciados los hijos más grandes eran o son los encargados de cuidar a sus hermanos menores y esta es parte de la responsabilidad que les corresponde como hermanos mayores.

Los abuelos también pueden ser una opción. Para algunos padres jóvenes, el afecto suele ser la condición *sine qua non* para cuidar a los hijos; además, tienen experiencia puesto que ya han criado a sus propios hijos; sin embargo, los tiempos cambian, los niños cambian, las edades cambian, y no siempre lo que se imaginaba antes del nacimiento es lo que en realidad sucede una vez nacido el niño. Los criterios de las mamás no suelen ser los mismos que los de las abuelas y muchas veces en vez de la esperada armonía las madres deben enfrentarse a nuevas dificultades. Claro está que no es frecuente que las abuelas reciban una paga por cuidar a sus nietos y esto puede ser un motivo no menor para elegirlas como responsables de los nietos. Otro aspecto a tener en cuenta es que cada día habrá más abuelos trabajando aun en edades avanzadas, por lo que será infrecuente que puedan dedicarse a la crianza de sus nietos.

Las *baby-sitters* o cuidadoras de niños no suelen abundar y muchas mujeres aceptan a regañadientes esta opción a falta de otras. Nuevamente surgen pensamientos encontrados: dejar a su hijo al cuidado de una mujer que trabaja por dinero como honorario no armoniza, en el imaginario de las mamás, con el afecto necesario que requiere esta tarea. La opción del parentesco con los niños podría garantizar una mejor calidad de cuidado. ¿Quién cuida mejor: una mujer por un salario o una abuela por el afecto? Corresponde a esta altura defender la opción más válida y más usual que es la de tener una persona, extraña y por salario, que se ocupe de los niños. Cobrar un honorario no significa dejar de tener responsabilidad, afecto y cariño hacia la tarea que se realiza. Por otra parte, es más sencillo acordar una línea de cuidado o educativa con una mujer con la que se establece una relación contractual, que lidiar con una abuela o una suegra. También suele haber alguna sensación ligada a la envidia sobre aquella mujer que, por un salario, pasa la misma o mayor cantidad de tiempo con el niño que la madre. Dado que no es infrecuente que lo que logran ganar las mujeres trabajando fuera de casa sea el equivalente a lo que deben pagar a una cuidadora o a un jardín maternal, las parejas masculinas leemos erróneamente esta situación inclinando la balanza a pesar de que la mujer abandone su trabajo y se quede en la casa a cuidar a "nuestros" hijos; estas situaciones suelen aumentar todavía más las contradicciones. ¿Por qué dejar al niño al cuidado de alguien más, si lo que se gana en el trabajo fuera de casa apenas alcanza para pagar ese cuidado? Como ya hemos dicho, salir de casa, encontrarse con otras personas y dedicarse a actividades intelectuales son los motivos que, aun en la paridad de dinero, justifican la tarea laboral fuera del hogar.

Los jardines maternales tienen como ventaja que suelen tener a profesionales idóneos en el cuidado y la estimulación de los niños. Las instalaciones son adecuadas y los niños socializan más que si se quedan solos en casa. Otro hecho no menor es que aun las mismas madres suelen socializar al encontrase con otras a la entrada o a la salida del jardín. Mujeres parecidas, en situaciones similares y con similares problemáticas. El problema de las guarderías radica en que, nuevamente en el imaginario de las madres y tal vez con cierta razón, los niños se encuentran en un sistema colectivo y no personalizado de atención. Admitamos que este punto tiene sus pro y sus contras, pero no solo aspectos negativos.

Los papás también suelen ser una opción, pero la mayoría de las madres consideran que la dedicación no termina siendo buena, que se encuentran preocupados por otras cosas, que no se concentran en las necesidades de los niños o que, concretamente, somos unos perfectos inútiles para estas tareas.

Alguna opción habrá que aceptar; quizá, ninguna será perfecta y por completo efectiva. Y es probable que con el tiempo se experimente más de una estrategia debido a las posibilidades económicas, a las características de los niños y a los cambios que suelen presentarse a lo largo de la vida. Cuando estamos esperando la llegada de un niño fantaseamos con que la mujer que lo cuide será única, le pagaremos un poquito más del honorario medio que se paga en el mercado, y así se establecerá una relación óptima entre la mamá que trabaja, la mujer que lo cuida y la felicidad del bebé. La historia muestra que, para cuando tienen edad escolar, los niños han estado al cuidado de más de una persona, las fantasías no se han hecho realidad y a pesar de eso todos hemos sobrevivido a la situación.

Por cierto, cabe señalar que la flexibilidad será un ingrediente por demás necesario para poder sobrevivir a cualquier decisión.

"QUIERO EMPEZAR A TRABAJAR"

Para aquellas mujeres que nunca han trabajado, iniciar este proyecto puede significar un verdadero desafío. Sin embargo, no son pocas las madres que piensan iniciar en el futuro un proyecto laboral; no será una tarea sencilla, pero tampoco imposible. Para esto, deberán contar con una planificación lo suficientemente clara que contemple quién cuidará a los hijos, el costo de este cuidado *versus* el ingreso salarial, las distancias de viaje y la necesaria flexibilidad laboral que necesita una mujer con hijos. Repito: la realidad indica que nada es sencillo, pero con tesón y las necesarias pruebas de ensayo y error se pueden lograr los objetivos.

POR LO TANTO...

- Hay toda una sociedad juzgando su actitud frente al trabajo.
- Trate de no permitir que la elección sea maternidad o libertad.
- Una vez más será usted la que deba buscar su propia

actitud sobre la base de sus necesidades como mujer y como madre.

- Las necesidades de sus hijos tienen distintas opciones, la mayoría de ellas satisfactorias y modificables en el tiempo.
- No escuche las calificaciones que con enorme simpleza tildan a las madres como heroínas, buenas, mediocres o malas.
- Al tomar decisiones, intente ser usted misma el centro y no se ubique como servidora de los demás.

CAPÍTULO 7

LA RELACIÓN DE PAREJA

Hombre justo y honrado
es aquel que mide sus derechos
con la regla de sus deberes.

JUAN B. LACORDAIRE

Cuando pensamos en la maternidad, solemos cometer el error de concentrarnos en los aspectos que atañen a la madre o a la mujer y nos olvidamos de las parejas y del resto de los familiares y amigos. No hay duda de que la *prima donna* es la mujer, pero el nacimiento de un niño tiene efectos contradictorios en todos los allegados que conviven con la nueva mamá y con el nuevo niño. Todos ellos también muestran sentimientos complejos con respecto al nacimiento de un bebé y reaccionan de distintas maneras frente a los eventos adversos que puedan ocurrir. En realidad, todos hacen lo que pueden; pensemos que si las mujeres muestran carencias educacionales a la hora de enfrentarse al nacimiento de su hijo, en los hombres, de manera especial, esta carencia puede ser abismal. Si la vida de una mujer cambia, también cambiará su entorno; necesariamente deberán modificarse las relaciones con su pareja, con sus padres, con sus amigos y con los compañeros del trabajo. No cabe duda de que si una mujer se ha visto afectada por el embarazo y el nacimiento de su bebé, su recuperación dependerá no solo de ella misma sino también de aquellos que se encuentren a su alrededor.

¿POR QUÉ TODOS CAMBIAN?

La sociedad siempre muestra una actitud muy favorable frente a los embarazos, pensando que no son ni más ni menos que el producto final o el resultado del amor y del romanticismo. De alguna manera vemos perpetuar a través de este nuevo ser la concreción de haber decidido un día vivir la vida juntos. Sin embargo, los que hemos pasado por esta experiencia, sabemos que esta felicidad en la pareja y en la familia podrá ser cierta recién luego de un largo tiempo dado que, en los inicios, tanto mamá como papá, de manera individual y como pareja, deberán sortear un sinnúmero de dificultades. Una vez más insisto en que es distinto lo que solemos pensar o soñar antes del parto de lo que en realidad vivimos luego del nacimiento. Suele haber una fuerte disociación entre lo imaginado y lo vivido. Si tuviéramos que encontrar una causa única –lo cual es imposible– diríamos que lo que se pone de manifiesto en estas dificultades es la poca preparación que tenemos para la llegada y la crianza de nuestros hijos.

El nacimiento –no cabe duda– significa un motivo de enorme orgullo para los padres; sin embargo –no seamos ilusos–, también será motivo de celos, competencias, peleas y faltas. Una vez más, reaparece lo contradictorio, lo ambivalente. Y la intimidad de la pareja puede convertirse en un campo minado. Un bebe es un "objeto" a compartir, y bien sabemos que compartir no es lo mejor que hacemos los humanos.

Más de una vez he dicho, como una suerte de provocación y con vocación de reflexión, que los niños vienen a separar a los padres y no a unirlos. No porque ellos deseen esta situación –obviamente desean bastante poco cuando apenas nacen– sino por la presencia y el protagonismo que adquieren en un hogar, logrando interponerse en una pareja que, hasta ese momento, había vivido el uno para el otro. La separación se observa en la nueva escenografía luego del nacimiento: una mamá que se encuentra casi constantemente junto a su bebé y, a la distancia, un padre, solo y a un costado. Así es como se inicia esta nueva etapa, donde cada uno transitará un período de adaptación que no será parejo y en el que la atención estará puesta en el recién nacido y en cómo penetra en la vida personal de cada uno. Así es como papá y mamá –que, repetimos, vivían el uno para el otro– se olvidarán de ser compañeros, amantes, íntimos. El cambio es tan profundo que, en el afán de ser una familia, olvidan ser una pareja. Sin embargo, lo bueno viene después; tanto es así que sobrevivimos a cada uno de los nacimientos y muchas veces, aunque no siempre, logramos ser mejores y más enriquecidos espiritual y emocionalmente. Algunas parejas, en cambio, se pierden en el camino. En efecto, poco más de la mitad de las parejas se divorcia o se separa luego de 7 años. Para Helen Fisher, la comezón del séptimo año ahora se da a los cuatro. La pregunta que debemos hacernos es: ¿qué puede haber sucedido en estos años? Probablemente haya habido un cambio de trabajo, alguna mudanza, alguna inversión, distintas peleas, pero también, y en la mayoría de los casos, una pareja ha tenido por lo menos dos hijos. Esto significa algunos meses de búsqueda, 18 meses de embarazo, por lo menos 12 meses de puerperio y las difíciles adaptaciones a cada uno de los nacimientos. Inexorablemente, en estos primeros años, si algo se ha descuidado, por cierto, es la pareja en el afán de crear una familia.

Si además una pareja transitaba caminos complejos y difíciles en su relación, difícilmente un nacimiento pueda recomponer esta situación y muchas veces la separación viene pegada al primer año luego del nacimiento. Al tiempo, a aquella persona a la que le hemos dicho –como nuestra mayor prenda de amor– "no puedo vivir sin vos", la miraremos y pensaremos "ahora, con el tiempo, y sin saber bien por qué, he aprendido a vivir sin vos". El proyecto de tener un bebé nunca ha sido una buena manera de emparchar los agujeros de una pareja. Para algunas, su relación se habrá deteriorado hasta la ruptura; para otras, el nacimiento implicará un distanciamiento; otras lograrán estabilizarse en el tiempo, pero sin mencionar un acercamiento; y para otras, en cambio, significará un crecimiento y una mejoría en su relación de pareja. Las maneras de percibir esta situación suelen ser disímiles para la mujer y el hombre. La mayoría de las madres estará preocupada por cómo su hijo afectará su pareja. Los hombres, en cambio, estarán preocupados por analizar cómo su nuevo hijo afectará su vida personal y qué restricciones le impondrá. Los que han estudiado a las parejas con embarazos múltiples nos dicen que cuando la mujer se entera de que tendrá más de un hijo rápidamente busca una mayor información, trata de relacionarse con parejas que tengan gemelares, y busca ayuda y comprensión en la redes sociales. Nosotros los hombres, en cambio, lo primero que hacemos es averiguar cuánto "nos va a costar" en términos concretos de pañales, cochecito, cunas, etcétera.

EL HOMBRE Y LOS CAMBIOS SOCIALES

En un momento en que los cambios en el modelo familiar son casi continuos, es difícil encontrar un modelo de padre que se ajuste a estas nuevas experiencias. Queda claro que, anteriormente, era poco lo que se les exigía a los nuevos papás. Quizás todo se reducía a seguir siendo el sustento familiar de la casa y estar presente en los momentos importantes como el nacimiento, los cumpleaños, la jura de la bandera o la graduación. En la actualidad, en cambio, no solo se espera un aporte económico significativo, sino que además hay todo un escenario social que le exige al hombre que se involucre en los aspectos organizativos y emocionales que implica el nacimiento de un niño. Pero esta tarea no es sencilla y distintos son los motivos. Por lo pronto, ya no es tan cierto que sea solo el hombre el que aporta el sustento económico. En el capítulo sobre la vuelta al trabajo analizamos holgadamente la contribución que hacen las mujeres al mercado laboral y al ingreso económico familiar. Hoy las mujeres trabajan como lo han hecho siempre. Pero lo que ha cambiado es la participación de muchos hombres, en relación con el cuidado del hogar –tanto en lo inherente a las necesidades propias de cada casa (compras, arreglos, trámites)– y de los hijos –compañía, llevarlos y traerlos del colegio, ayuda en las tareas–. Por un lado, esta escenografía podría ser propia de los segmentos más carenciados donde es más fácil que sean las mujeres las que consiguen trabajo como empleadas domésticas o de mantenimiento. Así es como muchos hombres tuvieron que dedicarse a ser padres de tiempo completo. Lo curioso es que este nuevo escenario ha provocado algunas nuevas tensiones y un importante estrés o angustia en los hombres. Como siempre, no todas las facetas son negativas: a fuerza de estas situaciones se ha mejorado la relación entre padres e hijos. Los hombres solemos vivir con gran intensidad nuestros éxitos en el campo laboral y con cierto resquemor las conquistas en otros campos de la vida. Dicho de otra manera: el éxito personal es el éxito laboral.

Así es como estos cambios en la vida de las mujeres y los hombres serán, por distintas circunstancias, basados en las características del género. Es importante recordar que los hombres no hemos sido educados para estos menesteres, por lo que algunos viven con particular curiosidad la llegada de un hijo y otros en cambio no saben ni por dónde empezar.

El papá "embarazado" y el papá "en puerperio"

Obviamente los hay de todo tipo pero, por cierto, no hay hombres desaprensivos frente a estas nuevas situaciones. Una embarazada podrá encontrar en su pareja un verdadero soporte a los cambios propios del embarazo si le da el lugar. Sin embargo, las ópticas sobre cómo encarar la crianza y la nueva vida familiar pueden no asemejarse aunque los deseos de tener un hijo hayan sido similares al principio. Es difícil que un hombre, al que jamás se ha estimulado a pensar en ser un padre o a elaborar aspectos relacionados con la educación y la crianza de un hijo, pueda sentir vivencias similares a las de una mujer. Las mujeres, como parte de sus juegos de niñas, han jugado siempre a la tarea de ser mamás. Los hombres, jamás. En los primeros embarazos, la presencia del hombre en los consultorios, en los cursos de preparación para el parto o en las salas de parto suele ser muy frecuente en tanto y en cuanto sus tareas laborales se lo permitan. Hoy se observa una cierta flexibilidad laboral para que los hombres puedan acompañar a sus mujeres a estas actividades –por cierto, una excelente actitud tanto de los empresarios como de los hombres en general–.

Sin embargo, la que lleva el embarazo, la que se sorprende físicamente día a día con el crecimiento de su bebé en la panza, la que percibe los movimientos, la que inexorablemente deberá concurrir a las visitas prenatales, la que deberá concurrir al curso de preparación para el parto, será obviamente la madre. En los segundos o terceros embarazos, la presencia de los padres en los consultorios ya no será tan frecuente; en algunas ocasiones se deberá a que se han quedado al cuidado de los otros hijos en casa. La curiosidad, la necesidad de involucrarse, ser parecidos o distintos a sus padres, suelen ser motivaciones importantes para esta presencia. También los amigos que ya han pasado por esta experiencia pueden compartir sentimientos, advertencias, consejos con los nuevos padres, lo que sin duda significa una gran ayuda a la hora de borrar ciertas inhibiciones.

Para algunos hombres, durante el embarazo será un regocijo y un placer contar con una mujer nueva cada día. Esta sensación estimulará la relación y puede aun promover ciertas fantasías sexuales o eróticas. Para otros, en cambio, será como una pérdida de la mujer que tenían; y muchos, lamentablemente, buscarán como paliativo una relación extramatrimonial. Las mujeres cambian su vida y buscan un ambiente más saludable como forma de aporte hacia la salud de sus bebés y como una modificación de su vida frente al nacimiento y al ejemplo que habrá que dar frente a los hijos. Los hombres o no cambian su vida o a cuenta de las modificaciones que le impondrá el nacimiento de su hijo se vuelven más salidores, se encuentran con amigos que ya no solían ver, tienen más reuniones y pueden estar en casa menos tiempo que antes del embarazo. Las preocupaciones económicas pueden multiplicarse, estimulando en exceso el rol protector hacia la familia, y acumulando una mayor cantidad de trabajo.

UN POQUITO DE ANTROPOLOGÍA

La antropóloga Margaret Mead describió el rol masculino en las distintas culturas. Hay dos tipos de hombres: el que se ocupa de las necesidades materiales y el que cumple ritos específicos en la vida de su familia.

Entre los aborígenes de Nueva Guinea, el padre prepara el lugar donde nacerá su hijo: flores, velas y oraciones, son los medios para estimular y brindar apoyo a su mujer parturienta. Luego del alumbramiento, se acuestan y ayunan durante cinco días.

Los indios navajos y los cherokees presencian el trabajo de parto y el parto sosteniendo física y emocionalmente a su mujer. Los chinos creen que la presencia del padre mejora la salud del bebé y que su ausencia sería un mal presagio para el futuro. Otras culturas, en cambio, creen que si el hombre se ocupa de las tareas propias de las mujeres, podría perder "virilidad".

Curiosamente, no hay parteras hombres y la comadrona es la que asiste el parto no institucional; sin embargo, no hay un compadre que haya asistido el parto. El médico o el galeno de la antigüedad (todos hombres) hacen su aparición alrededor del año 1500 y solo para partos distócicos o complicados. En el siglo XIX el padre es un patrón, o sea, la persona que tiene fuerza, coraje y capacidad para sostener a su familia. Trabaja cerca de la casa –como en el caso de la famosa y televisiva familia Ingalls–, realiza las tareas fuertes y pesadas del hogar, prepara el fuego, busca el agua, construye la vivienda; la mujer, en cambio, se ocupa de la casa y del cuidado de los hijos; cuando estos son grandes, ayudarán a su padre aprendiendo su oficio.

Cuando sobreviene la época de la industrialización, el hombre deja la casa y se traslada cotidianamente a la fábrica; así es como la mujer gana poder y aprende a arreglárselas sola (albores del feminismo). La paternidad es solo social, lo que excluye al hombre de las tareas familiares u hogareñas y esto incentiva su autoexclusión. En los países industrializados se ha intentado durante muchos años evitar la presencia del padre en las salas de parto bajo distintas estrategias, presiones y excusas: porque no posee equipo quirúrgico, porque su presencia aumentaría la incidencia de infecciones, porque podría fomentar los juicios de mala praxis, porque a los obstetras no nos gusta que nos controlen durante la asistencia del parto, o simplemente porque puede desmayarse.

Entre 1960 y 1990, tanto el hombre como la mujer compiten en el mercado laboral, y así es como ambos abandonan la casa en algún momento del día. Los psicólogos y sociólogos vislumbran que la pérdida de la figura del padre puede ser fuente de trastornos psicológicos en el desarrollo de la personalidad de los niños. Así es como se vuelve a estimular la presencia del padre en todos los aspectos relacionados con el nacimiento de un hijo. No son pocos los investigadores que muestran que la participación del padre mejora la calidad de la relación futura con su hijo y estimula el apego hacia él (*bonding*); algunas investigaciones demostraron que la presencia paterna en el trabajo de parto reduce la cantidad de analgesia o anestesia. También se afirma que la presencia de la pareja estimula el autocontrol de la mujer debido a que disminuye la sensación de aislamiento y alienación. El profesor Caldeyro Barcia, famoso fisiólogo uruguayo, descubre a través de sus enriquecedoras investigaciones que las caricias y masajes a la mujer estimulan la liberación de oxitocina (la hormona de las contracciones).

Todos estos hallazgos suenan atractivos a nuestros oídos, pero ¿son verdaderos? No existen estudios bien controlados para lograr conclusiones científicas y de peso específico. No obstante, el sentido común nos dice que hay más aspectos a favor que en contra de estas hipótesis.

EL PADRE EN LA SALA DE PARTOS

La presencia del padre durante el parto hoy es casi una constante y en nuestro país tiene fuerza de ley. No lo fue antes. Quizás se pensaba que el hombre no tenía nada que hacer en estas circunstancias, por lo cual no debía estar presente. Por el contrario, en la antigüedad y en las sociedades rurales, la presencia del hombre fue absolutamente necesaria con tareas apropiadas y bien definidas, tales como preparar un lecho para parir, calentar el agua o servir de apoyo emocional a la parturienta. Lo cierto es que hoy tanto mujeres como hombres quieren estar juntos en el nacimiento para compartir esta experiencia. Si bien hay una actitud muy positiva –y casi obligatoria– hacia la presencia del padre, tanto el hombre como la mujer deben vivir esta elección con suma libertad. Tanto es así que algunos padres no se encuentran cómodos viendo el trabajo o sufrimiento de su mujer, la tarea que desempeña el o la obstetra, y se sienten incapaces de poder ayudar. Queda claro que nadie será mejor o peor padre por su presencia o ausencia en la sala de partos. Es importante que el hombre pueda entrar y salir libremente de la sala durante el trabajo de parto, y para que ellos mismos establezcan el grado de participación o distancia que consideren conveniente.

El padre de cara al puerperio

Cuando se define el rol del padre en el puerperio siempre suele presentarse como una ayuda necesaria hacia la enorme tarea que tendrá la nueva madre –casi como un apéndice de esta nueva escenografía donde madre y niño acaparan todas las atenciones–; los hombres tratan de buscar su lugar y, como lo exigen las circunstancias, intentan ser de ayuda además de involucrarse con su hijo.

Luego de la internación, en la que nada está en las manos de la pareja, se vuelve a casa, donde todo estará en mano de los padres. Sin embargo, la mayor parte del tiempo, para el papá habrá tan solo soledad o la compañía de alguna abuela u abuelo. Las mujeres se sienten solas y la atención de los demás se ha volcado hacia el bebé; la visita con el obstetra se espaciará por unos días, lo que será un cambio importante dado que estaban acostumbradas a verlo todas las semanas en la última etapa del embarazo. La presencia de las visitas y parientes no será un tema menor ni de poca importancia. Lo que menos necesitan las mamás que recién han parido es ser juzgadas y obligadas a comportarse de tal o cual manera sin muchos fundamentos. Quizás un padre que oficie de moderador y/o mediador entre la madre y los foráneos sea por demás necesario. Quizás también sea bueno que la pareja haya hablado sobre estos temas antes del nacimiento del bebé con el objeto de haber acordado criterios de cara al futuro.

No estaría mal, por otro lado, que el hombre se involucrara desde un principio en la atención del bebé. Entre la falta de modelo que tenemos y lo inútil que nos consideran las mujeres para estas tareas, la mayoría opta por hacerse a un lado, lo que obviamente termina perjudicando a todos. Si este período se transita con una pareja solidaria a la que no le falta una palabra de aliento y cierta dosis de humor, las cosas serán aun más llevaderas. Si, en cambio, se vive con una pareja en discordia, las cosas serán peores de lo que suelen ser y el hombre seguramente se correrá de la escena para no acumular situaciones de tensión.

Algunas maneras positivas de acercarse a la mamá y a su hijo son el sostén de la lactancia y no el alejamiento cada vez que el bebé se encuentre en el pecho. Estar juntos, charlar livianamente, preguntar qué se siente, pueden ser estrategias de acercamiento y de apoyo. Cuidar al resto de los hijos también suele ser de gran ayuda. Todo es mejor que tomar distancia.

La vuelta a casa

El regreso a casa también marca la vuelta a los roles propios del género, en la medida en que el padre retoma su trabajo habitual y la madre se queda en casa, aunque sea durante el período que dure la licencia. Toda una escena propia de una sociedad patriarcal. Para una pareja en la que ambos trabajan, esta será una nueva instancia de tensiones dado que las independencias se van desvaneciendo y se percibirán de distintas maneras. El padre retorna con libertad a su empleo y la mujer, con algo más de restricciones, se queda al cuidado del niño. No es ilógico que en estas circunstancias las mujeres sientan soledad, dependencia, aislamiento del medio externo y la enorme responsabilidad de ser la única que provee por el cuidado y la salud de su hijo. El manejo del dinero, una vez más, se torna un problema y un motivo de discusión.

Las mujeres se ocupan de los niños con un mandato que cada día se muestra más insólito: "toda madre sabe cómo cuidar a un niño"; así, ella carga con la responsabilidad como un mandato del género. El hombre, en cambio, aun dedicándose a su hijo, lo hace siempre bajo la consulta y la supervisión de la madre, siempre con la excusa de que carece del instinto. Los padres tratamos de ayudar pero no siempre lo logramos. Nuestro papel es más bien secundario: cambiar pañales, limpiar la caca de un bebé o preparar un puré no son tareas de una enorme dificultad y sin embargo nos resultan esquivas. Alguien dijo que en nuestra cultura la maternidad es un trabajo y la paternidad, un *hobby*.

Cada día se torna tan evidente como necesario no separar roles según el género. Los problemas concretos pueden resolverlos madres y padres, sin la necesidad de preguntarse si corresponde o no, o cuán "masculina" o "femenina" pueda ser cierta tarea. Esto, de hecho, ya está ocurriendo, a punto tal que en algunos países tendrá aun fuerza de ley. En España, en breve, corresponderá un mes de licencia por paternidad luego del nacimiento o de la adopción de un hijo. En la actualidad, tienen dos semanas, lo que marca una sustancial diferencia con los países de nuestra región. Los países del norte de Europa fueron los primeros, hace ya más de treinta años, en contemplar este tipo de licencias. Hoy, dicha licencia es 6 semanas y están estudiando la posibilidad de ampliarla con alguna quita en el salario. Si la tendencia se sostiene, se logrará que las dificultosas primeras semanas se apoyen sobre los hombros no solo de la madre, sino también del padre.

¿Quién sostiene a los hombres?

Si los hombres no lo logran por cuenta propia –cuestión nada sencilla para quien no ha sido preparado para estas situaciones–, lo razonable será buscar ayuda y reflexionar sobre algunos temas. No hay recetas fáciles. Buscar cierta intimidad entre mamá, papá y bebé, restablecer el programa de cuidado del niño y el reparto de las tareas del hogar, no cuestionar permanentemente la tarea del otro, premiar las buenas actitudes o los logros, buscar algún momento de romanticismo, salir de casa y pasear, racionalizar la responsabilidad y no acrecentarla... Todas estas actividades pueden ser muy provechosas al momento de recuperarla armonía perdida. Los amigos pueden ayudar en estas situaciones donde el que tiene que cuidar debe ser cuidado. Tanto obstetras como pediatras deberíamos tener más en cuenta el rol del padre y pesquisar las situaciones.

No es machista pensar que algunos hombres se sienten abandonados una vez que ha nacido su hijo. Aparecen celos y muchos se vuelven más demandantes. Ven a sus mujeres completamente dedicadas al bebé. Cuando el niño se ha dormido, ellas quedan exhaustas, a punto tal que en vez de tener un momento de distracción con sus parejas, tan solo buscan un necesario descanso. Estas situaciones funcionan en desmedro del escaso humor que tienen los hombres. Recrear momentos, ser solidario y partícipe concreto en la crianza del niño, serán caminos razonablemente sólidos para encauzar estas complicaciones. En tal sentido, la pareja tendrá que buscar sus propios espacios. Dejar al bebé con los abuelos, con alguna tía o tío, buscar una *baby-sitter*, son opciones válidas que permitirán la gestión de estos espacios.

Por lo tanto...

- Si cambia la mujer, también lo hará el hombre. Lo ideal es que los cambios tomen caminos positivos y no de alejamiento.
- El hombre ha participado del nacimiento en la antigüedad y aun en el pasado reciente. Luego, los cambios sociales lo alejaron de la escena. Hoy existen cambios concretos que lo integran nuevamente.
- No es necesario ni "estar embarazado" ni ser "puérpero": alcanza con estar simplemente presente.
- Analizar las soledades a las que ambos están sometidos podría ser una buena manera de acercarse.
- Existen tareas concretas para ayudar. No son ni más ni menos importantes que las de la madre. No hay que competir, sino sumar.

CAPÍTULO 8

EL SEXO: OTRO CAMPO DE BATALLA

No hagas a los demás lo que deseas para ti:
los demás pueden tener gustos distintos.

GEORGE BERNARD SHAW

El sexo no es el único, pero sin duda es uno de los más difíciles campos de batalla para esta nueva pareja luego de la llegada de su hijo. Terminadas las molestias del embarazo, finalizado el parto, no habría por qué pensar que el sexo, como manifestación de intimidad en la pareja, sea una nueva fuente de conflictos.

Admitamos, por un momento, que la sexualidad no es fácil durante el embarazo, y por lo tanto, tampoco lo será luego del parto y en las semanas venideras. Dado que no es un tema sencillo de explorar, trataré de enunciar, aunque de manera desordenada, una cantidad de situaciones que, a mi juicio y gracias a la escucha de las puérperas y durante el primer año luego del nacimiento del bebé, han sido las consecuencias de esta nueva desavenencia.

Para comenzar –y sin ánimo de querer ser repetitivo sobre este tópico– no creo que se pueda minimizar el extraordinario cansancio que tienen las mujeres. Sexo y cansancio no son una buena combinación. Ya mencionamos que las mujeres con un recién nacido a su lado, pueden lograr dormir –con mucha suerte– de 6 a 8 horas por día; esta es una cantidad adecuada de horas. Sin embargo, el problema radica en que lograrán sumar esas horas de descanso solo en varias etapas. Así ya no será un descanso reparador sino que, por el contrario, casi una tortura. De ahí que si los encuentros sexuales pueden ser vistos como un alto en el camino, una forma de encuentro, una búsqueda de intimidad, un modo de relajarse, una salida de la rutina, una motivación intensa, para muchas mujeres ya mamás, por el contrario, la actividad sexual se convierte en un nuevo trabajo o una tarea más a desarrollar en el día y, para colmo, con la peor escenografía para su desempeño.

Las visiones suelen ser antagónicas. Para la madre, el día transcurrido, en su rutina y en la dedicación a su hijo, ha sido absolutamente agobiante; es probable que no haya habido demasiados cambios ni cosas novedosas, y la misma actividad rutinaria y la falta de un adecuado reposo mostrarán al día como trabajoso. Su pareja, en cambio, que seguramente sigue trabajando como antes y rodeado de las mismas o aun mayores preocupaciones, también siente que su día ha sido agobiante y no entiende por qué su mujer, que se ha quedado en casa todo el día, que "solo ha tenido que dedicarse a su bebé", que puede haber tenido alguna oportunidad para recostarse y descansar, lo recibe con la habitual queja de un marcado agotamiento ni bien abre la puerta de su casa. Desavenencias que expresan alguna dificultad o alguna miopía en la objetividad de cada uno, falta de comprensión hacia el otro y, también, de diálogo.

EL BEBÉ CENTRO O EN EL CENTRO

El bebé ya había sido un intruso durante el embarazo. Su presencia, expresada en sus movimientos, en una ubicación cercana a los genitales, en el miedo a dañarlo, sumado a las molestias e incomodidades que le causaba a la madre, ya había contribuido al cambio de frecuencia y calidad de las relaciones coitales. Ese feto dentro del útero es hoy un bebé y está en casa. La madre ya no lo tiene en su panza pero la distancia que el niño puede tomar de los padres no es superior a unos pocos metros. Este nuevo intruso no solo se mueve como en el útero; ahora a sus movimientos se agrega el hecho de que se mueve en la cuna, llora, gime, respira, tose, vuelve a llorar, ronca, protesta y hace ruidos. Si antes hacer el amor era complejo, ahora lo es aun más, puesto que ya no es fantasmal como lo era dentro del útero sino que su corporeidad está en todo momento presente y próximo a sus padres. Los comentarios de las parejas versan sobre la dificultad de tener encuentros íntimos con la cuna en la misma habitación, la falta de concentración debida a los ruidos que llegan desde el *living* o con el inesperado llanto que se inicia ni bien comienzan los primeros juegos amorosos. El colecho (la permanencia del bebé dentro de la cama de los padres) suele ser una fuente de conflictos, puesto que si bien lo practicamos en la búsqueda de una mayor comodidad en el manejo del niño, también se trata de una cuña que se ha introducido en la pareja y que será motivo de protestas o de peleas. Y así es como la comodidad cede a la reflexión y el niño habita junto a los padres en la misma cama por meses. Ya no solo es el centro de atención de la pareja sino que se encuentra literalmente en el centro produciendo una inexorable desunión.

LA MADRE DE CARA AL SEXO

La madre tiene sus propios conflictos físicos y emocionales. Los físicos son bien claros: la episiotomía, los puntos de un hipotético desgarro, la herida de la operación cesárea, las molestias de las grietas del pezón, las insoportables mamas ingurgitadas y dolorosas, la leche que sale espontáneamente con o sin bebé al pecho, los kilos de más, las piernas edematizadas o hinchadas, el abdomen flácido como si estuvieran aún embarazadas, la presencia incómoda y poco higiénica de los loquios. Si bien esta descripción puede resultar desagradable, no difiere mucho de lo que en realidad suele ocurrir en la mayoría de los puerperios y su duración no es inferior a los 50 días. Esto afecta notablemente la autoestima de las mujeres: sienten incomodidades, dolores, cansancio, y probablemente no gusten de volver a desnudarse y entregarse a los placeres o a la violencia sexual como en otros tiempos.

"Siento mucho dolor si tenemos relaciones..."

En el consultorio, es frecuente que las mujeres manifiesten, aún mucho tiempo después del parto, un importante dolor durante la fricción del acto coital. Este dolor o dispareunia– también conocido como coitalgia– puede tener motivaciones físicas y emocionales. Desde lo físico, las mujeres puérperas que amamantan se encuentran con un bajo tenor de estrógenos que suele afectar la reepitelización de los tejidos vaginales. Por ello, es habitual que manifiesten una desagradable sequedad vaginal que torna muy dolorosa la relación sexual. En estos casos, se sugiere la utilización de geles vaginales o jaleas íntimas que hagan menos traumática la penetración. Su aplicación debe formar parte del juego amoroso para que sea incorporado como una diversión y no como una medicación. La mayoría de las mujeres que consultan por este dolor durante la relación sexual sienten temor de que haya algo malo en su vagina, como por ejemplo, una defectuosa cicatrización de la episiotomía o de un desgarro vaginal, algún problema en el cuello del útero o alguna infección. Sin embargo, es bueno que todos sepan que aun las mujeres que han tenido un parto por cesárea, sienten las mismas dificultades locales a nivel de la vagina y con respecto a las relaciones coitales. De ahí que siempre solemos mencionar que las heridas no han quedado en el periné o en la panza (cesárea) sino en el cerebro, que es el lugar donde se guardan las emociones. He escuchado varias veces que la vagina ha adquirido un rol nuevo durante el parto, lo cual puede ser sumamente confuso para una mujer. Durante mucho tiempo, la vagina fue un órgano dedicado al erotismo o a la presencia de la menstruación; ahora, en cambio se ha convertido en el lugar por el que ha salido su bebé, lo que le da una nueva significación, no exenta de conflictos, a esta parte de su cuerpo. La experiencia del parto se encuentra muy fresca aún en la memoria como para permitir una penetración y una fricción continua que permitan sentir o dar placer. La vagina ya no le pertenece solo a ella o su pareja sino que, de alguna manera, también le pertenece a su hijo. Parto-dolor, sexo-dolor son situaciones recurrentes que se entremezclan en el imaginario de una mujer de manera confusa.

Madre y mujer

Respecto de los aspectos emocionales, las mujeres no logran disociar tan rápidamente, como los hombres, su rol de madre de su rol de mujer. Dicho de una manera más sencilla, no les resulta fácil dar el pecho, cuidar a su hijo, acariciarlo, y al minuto pasar al cuarto de al lado para divertirse en la cama con su pareja. Necesitan más tiempo para dejar un rol y asumir otro. Por otro lado, sienten que están todo el tiempo dando a alguien (su hijo), que no le responde o no le devuelve nada en lo inmediato. Es probable que de manera explícita o implícita no quieran *dar* más y en cambio quieran *recibir*. La sensación de vacío suele ser recurrente.

Para los hombres, el pasaje de padre a pareja sexual puede durar apenas unos segundos; para las mujeres, estas modificaciones no son ni tan sencillas ni tan rápidas. Es importante que los hombres adviertan la necesidad de tener paciencia, prudencia y tranquilidad en el abordaje de una mujer, si es que quieren lograr algo distinto a un rechazo. No debemos olvidar que las relaciones sexuales suelen ser negociadas; la habilidad de esa negociación es propia de cada uno de nosotros. En más de una ocasión hemos escuchado que las mujeres "no quieren guerra", abordaje o penetración sexual, sino más bien caricias, abrazos, mimos, o la escucha de lindas y sugestivas palabras. Ofrecer pasión y rápida penetración no suele ser el mejor camino.

Independientemente de las estrategias, el campo de batalla está planteado. En esta escenografía, vuelvo a ver a la mujer llena de sensualidad a través del contacto íntimo con su hijo, disfrutando de tenerlo siempre en brazos, apoyado sobre su hombro, en un continuo abrazo... Misma sensualidad que ocurre mientras se lo baña, viste y desviste, o cuando sus pechos son chupados por el bebé en una escena no solo alimenticia, sino de enorme afecto. Me podrán decir que he dado una descripción erótica si se quiere. Es probable, pero erotismo y sensualidad son componentes habituales del cuidado de una madre hacia su hijo.

Por otro lado, y en dirección opuesta, veo a un padre poco conectado con su hijo, al que le resulta difícil incorporarse al binomio madre-hijo, casi sin contacto epidérmico, y buscando en soledad su lugar en esta nueva escenografía. Frente a los rechazos cada vez que insinúa sus deseos de tener relaciones sexuales, optará por el enojo, la rabia, el silencio o una nueva discusión.

EVITEMOS UN NUEVO EMBARAZO

El miedo a un nuevo embarazo puede ser, con razón o no, una nueva excusa para evitar los encuentros íntimos. Por ello recomiendo enfáticamente que haya una consulta posparto a los 15-21 días con el obstetra para analizar el método contraceptivo para esta nueva etapa. Un error muy frecuente es pensar que la lactancia puede estar dando una anticoncepción segura. En todo caso, la lactancia natural dificultará la ovulación en las mujeres y, por lo tanto, disminuirá la posibilidad de un nuevo embarazo; pero de ninguna manera debe ser tomado como un método seguro de contracepción.

Dado que hoy la autonomía es un valor muy importante en la consulta médica, sería por demás razonable que ambos, en la intimidad de la pareja y previo al nacimiento, tengan una charla sobre las posibilidades contraceptivas, en tanto sea un método de barrera con preservativo o diafragma, pastillas anticonceptivas o dispositivo intrauterino. Debe tratarse de charlas previas sin condicionamientos y sin prejuicios, eligiendo el que favorezca una sexualidad más plena y no solo segura. Los aspectos técnicos de los métodos serán analizados y asesorados por el médico o la obstétrica.

¿Es importante el sexo luego de haber tenido un hijo?

Hemos analizado aspectos físicos y emocionales de distintos tipos y también combinados. Pero no quiero dejar de plantear la pregunta sobre la importancia del sexo luego del parto, puesto que la he escuchado infinidad de veces en boca de muchas mujeres, siempre poniendo en duda la importancia de reiniciar los contactos íntimos sexuales.

Estas preguntas encuentran su explicación en el comportamiento de las mujeres, al colocar el sexo en un lugar distinto al que tenía previo al embarazo. Ya han practicado relaciones sexuales durante muchos años, no son más adolescentes, ya no se sienten cómodas con la idea de que el sexo es lo más importante en la vida; ahora han tenido un hijo, deben sostener una crianza y una educación, se han incrementado las responsabilidades, la pareja también es más grande, más aplomada, menos fogosa, y los encuentros sexuales son más cortos y menos frecuentes. Así se van confundiendo nuestros pensamientos. Ser padres puede modificar la forma en que se visualiza el sexo lúdico.

La misma tristeza puerperal puede hacer que no sea el sexo el que se encuentre deprimido, sino que los deprimidos sean la mujer o aun ambos miembros de la pareja; es probable que se encuentren agobiados y confusos en sus nuevos roles.

Los encuentros sexuales se dan por lo general por la noche. La visualización de la noche puede no ser igual en el hombre y la mujer. Para el primero, nada mejor que una relación sexual, un poco de televisión o una breve lectura, y luego dormir hasta el día siguiente para volver al trabajo. Para la mujer, la noche podría ser la invitación a un período de descanso; ya no tiene el romanticismo de un tiempo atrás, y seguramente habrá que despertarse varias veces, en soledad, para alimentar al bebé y pasearlo para que no llore; luego habrá que cambiarlo, y después intentar conciliar el sueño nuevamente; queda claro que nada de esto será sencillo. Y una vez que el niño ha conciliado el sueño quedan dos posibilidades: rápidamente intentar dormir o bien tener un breve encuentro sexual para calmar los ánimos.

¿TODOS LOS HOMBRES SON IGUALES?

Definitivamente no. Por empezar, ciertos hombres, luego del parto han quedado muy confundidos en la relación con su mujer. El nacimiento de su hijo y la vivencia del parto puede haberles provocado una disminución de la libido –luego de haberlas visto pariendo, casi desnudas, en una sala de parto donde ha habido muchos tactos vaginales, la colocación de alguna sonda o la administración de antisépticos, el corte con una tijera o con un bisturí en zonas previamente erógenas, o la sensación de sentirse incómodos e ineptos ante las expresiones de dolor de su mujer–. Para algunos, estas vivencias y sensaciones deben ser revisadas con ayuda psicológica para volver a enfrentarse de manera erótica con el cuerpo de su mujer.

Otros las ven como antes –y aun mejor– pero no saben que su mujer ya no es la misma. Otros hombres ven a su mujer sumamente atractiva y sexy en su condición de madre, pero se vuelven celosos puesto que piensan que ya no les pertenece más como en otras épocas. Ahora los pechos son del niño, también las caricias y los besos. La lactancia no es un tema menor; muchas de las mujeres que amamantan por largos períodos de tiempo y que son aplaudidas por las organizaciones de salud, en la intimidad del consultorio pueden confesar que mantener la lactancia natural es también una forma de mantenerse alejadas de sus parejas y de los encuentros sexuales. Una cosa es que el bebé toque y chupe sus senos y otra muy distinta es que lo haga una pareja en medio de un encuentro sexual.

Los hombres no somos todos iguales. Lo importante es que cada uno busque la manera de ubicarse en esta nueva situación y redescubra su pareja mientras aprenden a vivir en familia. Una vez más, el diálogo es más que necesario. O bien una cuota importante de inteligencia emocional.

POR LO TANTO...

- Habrá experiencias sexuales aun más profundas que antes del parto. Sin embargo y, como en todos los crecimientos, esto requerirá de mucho tiempo. En mi experiencia, diría que este tiempo puede acercarse al año.
- Esta nueva y mejor sexualidad podrá lograrse con mucho esfuerzo si hay voluntad de crecimiento y de recupera-

ción, así como la capacidad para disociar entre una pareja, una familia o una relación madre/padre e hijo. No todo es lo mismo y hay que sortear esta confusión.

- El diálogo, aun áspero, puede ser mejor que el silencio educado.
- El bebé se ha trasformado en el centro de atención para todos, pero es fundamental que este lugar central no afecte los encuentros de la pareja y que cada uno sepa buscar su propia ubicación para recuperar su intimidad.

CAPÍTULO 9

LOS AMIGOS Y LA FAMILIA

Es amigo mío aquel que me socorre,
no el que me compadece.

Thomas Fuller

Vuestro amigo es la respuesta
a vuestras necesidades.

Khalil Gibrán

Hemos analizado hasta aquí las modificaciones en el estilo de vida de una madre y de su pareja luego del nacimiento de un hijo. Analizaremos ahora el modo en que estos cambios también afectan a la relación de la mujer con respecto a sus amigos y al resto de su familia. Nada será igual y distintos aspectos contribuirán a que así ocurra.

En distintos momentos del embarazo y más aun en el puerperio, algunas mujeres suelen sentir una pérdida de libertad. "Me siento presa", "me siento asfixiada", "me siento secuestrada" son algunos de los comentarios que, si bien parecen exagerados y risueños, encierran sensaciones y posturas frente a la realidad que impone un hijo nuevo en comparación a cómo se desempeñaba la vida anteriormente. Tanto es así que no cabe duda de que un hijo impone una pérdida de la movilidad, de la libertad personal y social y de los espacios que antes formaban parte de nuestro cotidiano. No es lo mismo tener hijos que no tenerlos; no es lo mismo salir solos que hacerlo con nuestros hijos. No son los mismos amigos los que se pueden tratar junto con los hijos que los que se pueden frecuentar sin hijos.

LAS NUEVAS Y VIEJAS AMIGAS

Ya no será sencillo ver a las amigas de antes, a menos que ellas tengan hijos de la misma edad. Las mujeres sin hijos gustan de los niños de los demás pero por un breve período de tiempo; la dermatitis del pañal, el mal sueño, la interpretación de los llantos y de los cólicos, la elaboración de un puré, la problemática de quién lo cuidará en el futuro, las dudas sobre el jardín de infantes a elegir pueden ser temas de una importancia casi nula para aquellas personas sin hijos y con otras preocupaciones y ocupaciones. Las que no tienen hijos, por más amigas que sean, están preocupadas por ver con quién y cómo tener niños, pero no por los problemas cotidianos de los hijos ajenos. Las conversaciones a compartir difieren notablemente. Una se la pasa todo el día resolviendo cómo gestiona la crianza de su hijo de lunes a lunes; la otra, en cambio, trabaja, sale y vuelve de y hacia su hogar, mira televisión, lee libros y revistas, probablemente salga al cine o a comer afuera, haga algún ejercicio físico y, si se siente mal, puede quedarse en la cama hasta tarde. La madre tiene como actividad primordial y casi exclusiva el dedicarse a sus hijos y pasar con extraordinaria velocidad del llanto a la caca, de la caca al pis, del pis al pañal, del pañal al pecho, del pecho al provecho, del provecho al llanto y así sucesivamente con escasas modificaciones en este movimiento giratorio e incesante, sin importar momento y lugar. Juntas tendrán poco para compartir y aun si logran hacerlo, es probable que, de una parte u otra, surjan envidias por lo que no se tiene y orgullo por lo que sí se tiene.

LAS SALIDAS Y LOS NUEVOS AMIGOS

Si bien recomiendo enfáticamente las salidas de la madre novel, entiendo que las mismas no son sencillas. Salir con un bebé implica salir con un gran bolso –poco manuable pero sí organizado– en el que deben caber pañales, cambiador, una muda en el caso de que la caca haya traspasado los pañales anatómicos, batitas y saquitos de algodón o lana según la estación, chupete, sonajero, agua mineral, mamadera y algunos objetos de necesidad personal de la madre. Esto sumado obviamente al cochecito y al armado del niño dentro de un auto, si es que piensa salir en un vehículo propio. Decidir salir, lograrlo, tomar una gaseosa fuera de casa, ver una vidriera, y lograr volver al hogar, puede ser no solo una aventura fascinante y extenuante, sino una excursión necesaria para el espíritu. Pero, coincidirán conmigo, no es una tarea fácil. Las plazas de las ciudades son bellas en las fotos y estando solos, en pareja o con amigos. Con un niño no es tan sencillo; la visión de las plazas se trasforma en un extremo cuidado por la seguridad, la higiene, los perros, los otros niños. Sin embargo, es un buen lugar donde hacer nuevas amistades. Sobre todo porque a la plaza van otras madres y se pueden compartir con ellas vivencias, problemáticas o felicidades comunes.

Así es como llegamos a un cambio de amistades que se prolongará en el tiempo. Los nuevos amigos son los que tienen hijos de la misma edad que los nuestros.

Quizás en las primeras salidas incluso se les ocurra juntar a los amigos nuevos con los viejos: esta tampoco es una tarea fácil. Ya en la clínica no ha sido sencillo reunir a los amigos de la vida con los compañeros del trabajo. Con los nuevos amigos se comparten las cosas que hacen a la crianza del bebé. Los viejos amigos quieren hablar de la película que han visto, de política, del próximo viaje que proyectan, de la trasnochada de la semana pasada, y poco se interesarán por una cola irritada o una noche de llanto. Mezclar agua y aceite puede ser un error, pero no por ello hay que dejar de intentarlo.

Las visitas a los amigos y parientes

Si no se tienen hijos, salir implica tomar la cartera y listo. En cambio, hemos visto cómo proyectar y concretar una salida, por lo menos al principio, no es tarea sencilla y una vez más, es probable que la ayuda que podamos aportar los hombres sea bastante escasa.

En épocas más lejanas, la vida social estaba más concentrada en el barrio. Quizás toda una familia vivía en la misma casa o a casas de distancia. Hoy no es así. Es probable que padre y madre e hijos grandes vivan en distintos barrios y a distancias considerables, lo que torna aun más compleja una salida. Habrá que administrar de manera equitativa las visitas para poder ver a todos. Un error frecuente pero absolutamente lógico es que, por la escasa movilidad, se tienda a ver el mayor número de personas o parientes en una misma reunión; se logrará ver a mucha gente pero no logrará estar con ninguno. La pereza hace pie en estas situaciones por lo que muchas veces se posponen las salidas con la excusa de las dificultades que implica movilizarse.

Muchas veces, el motivo de la salida también surge de la necesidad de que los demás –amigos, conocidos y parientes– no vengan a nuestro hogar, sobre todo para evitar las visitas *picnic* que se tornan eternas. En este sentido, las visitas pueden generar sentimientos encontrados. Por un lado, están contentas de encontrarse con sus amigas pero, por otro, las madres dudan si la visita no las distrae del cuidado de su bebé, si este llora por falta de atención o si hay que darle el pecho y aún no tienen confianza suficiente como para hacerlo a la vista de todos.

Las salidas a comer en casas de terceros puede representar todo un problema, puesto que ciertos anfitriones, como amigos, abuelos, tienen menos paciencia de la que creían tener: son metódicos, preparan ricas comidas para los grandes, pero han perdido el horizonte sobre las necesidades, los horarios, el tipo de comida y los berrinches y manías que tienen los niños. No solo habrá las habituales discusiones familiares −políticas, futbolísticas o de género− sino que además se escuchará el llanto del bebé, la madre pedirá que se hable más despacio, que la televisión esté sin sonido o que la música sea en sordina para no despertar al hijo. En algún momento también habrá que limpiar un vómito de leche, puré o caca en algún sofá o en el piso de la casa.(Modificar la decoración de la casa propia y la de los demás será una tarea fundamental a partir del momento en que el bebé repta para explorar la inmensidad de su espacio. Adornos, enchufes, revistas y libros tendrán que estar a una altura considerable de manera tal que no formen parte del desarrollo de la curiosidad de un niño.)

También habrá que pasar por algún momento desagradable en restaurantes o en casas ajenas cada vez que el bebé se haya hecho caca, puesto que no solo habrá que interrumpir la conversación, sino que la más interesada en socializar, que es la madre, terminará sola en el baño cambiando al bebé, sumando una nueva frustración.

Si bien he pretendido exagerar un poco estas situaciones, es probable que para algunas madres me haya quedado corto. Siempre, en el balance, es mejor socializar que encerrarse en el hogar.

La relación con las amigas que ya tienen hijos

Hemos diferenciado las amigas con hijos de aquellas sin hijos: las áreas de interés comunes no son muchas.

Ahora bien, con aquellas mujeres que también tienen hijos, aun de la misma edad, las relaciones tampoco son sencillas.

Algunas personas gustan de pontificar sobre las estrategias de crianza; no lo hacen con maldad sino con el convencimiento de que lo que ellas piensan es lo cierto. Casi siempre que se habla de educación, hay algunos que el tienen el don –o la soberbia– de creer que ellos saben cómo deben hacerse las cosas. Nada más erróneo e inverosímil: las estrategias de educación son solo eso, estrategias, e impactan de manera diferente en cada uno de nosotros y de nuestros hijos. De ahí que en los encuentros, las madres puedan no compartir las mismas ideas y que la manera de dar al niño el pecho, la ropa, los mimos, las estrategias para dormir, las comidas más adelante, sean una fuente de conflicto y no un saludable intercambio de experiencias. Si se creía idealizadamente que la socialización era un buen camino para salir de la rutina, para compartir experiencias se ve que los hijos, en vez de acercar, pueden alejar a las madres.

Otra fuente de conflicto se da entre aquellas madres que trabajan y aquellas que no; ambas priorizan su postura y desestiman la opuesta. Las madres en casa a tiempo completo tienen menos contacto con el mundo exterior, comparten menos con los demás, poseen un universo más restringido, pero es probable que logren cuidar a sus hijos como lo han deseado. Las madres que trabajan están más conectadas con los demás, tienen actividades intelectuales por cumplir, tienen horarios, se visten para la ocasión, se arreglan más y sienten el poder que les da su propio ingreso económico. Es probable, por todo esto, que sientan un mayor cansancio o el agobio por las múltiples tareas, y cierta culpa por haber dejado a sus hijos en casa o en la guardería.

Entre estas madres surge una relación a veces minada por los celos, y durante los encuentros se suelen defender las posturas que se han tomado en desmedro de las otras.

Vacaciones

Tan cierto es que las vacaciones también cambian que a algunos lugares ni se puede ir con niños. Los pequeños son considerados un estorbo para la paz, la tranquilidad y el solaz esparcimiento de algunos. Por ello, ya no se trata de adónde se *quiere* ir sino de adónde se *puede* ir. La playa –por el sol, el viento y la arena– no parece ser un lugar recomendable para un recién nacido, a menos que alguien guste de quedarse en la casa mientras los demás van a la playa. Las quintas y las sierras lucen como lugares más razonables para la adaptación del bebé a un nuevo entorno. Claro que nada resultará fácil. Algunos espacios serán reducidos –como las habitaciones de los hoteles– y otros, en cambio, serán extensos respecto de los departamentos de ciudad. La vida social será restringida y seguramente padre, madre e hijo vivirán las 24 horas "amontonados". Esto tendrá, como todo, beneficios y perjuicios. Debe recordarse que con un hijo recién nacido se puede dar la vuelta al mundo, dado que sus necesidades no son más que una cuna, la teta y agua mineral si fuera necesario. La movilidad de un niño de 1 año, en cambio, imprime otras necesidades: procurar máxima seguridad y control en las piscinas, así como acondicionar las habitaciones de los hoteles (enchufes, elementos eléctricos o balcones). Los padres deben tomar muchos recaudos y elaborar todo tipo de hipótesis de peligro o de conflicto. El espacio exterior puede ser amigable y a la vez hostil.

Las vacaciones, entonces, adquieren un significado diferente al que tenían antes de tener un hijo.

LA FAMILIA

No se trata de una sola familia sino de dos: la de la madre y la del padre. El nacimiento de un niño genera modificaciones en estos grupos humanos: ustedes han tenido un hijo y sus padres han tenido un nieto, todo un cambio en la estructura familiar. La formación de una pareja implica ampliar los vínculos, integrando en la vida a los padres del otro. El nacimiento de un bebé, en cambio, significa la llegada de un nuevo miembro a la familia, portador, en parte, de los genes de todo el grupo. De ahí las discusiones largas y divertidas sobre "si los ojos son de la abuela", "las orejas del otro abuelo", "la sonrisa de los Pérez" y "el carácter de los González". Los padres de los papás se han convertido en abuelos, lo cual implica una sensación nueva y especial para ellos. Sensación que además suele ser eufórica y sumamente emotiva. Cuando un parto llega a su fin, los padres se tranquilizan mientras que los abuelos, en la sala de espera, se emocionan y se vuelven eufóricos. Creo que son los que de verdad disfrutan plenamente de este nacimiento y la sonrisa es de oreja a oreja.

LAS MAMÁS DE LAS MAMÁS

Más allá de las influencias genéticas, las familias suelen ser un soporte económico, emocional y práctico para los nuevos padres. Sin importar si la relación con sus madres no ha sido la mejor, dudo que no vayan a recibir la oferta concreta de ayuda. Lo mismo vale para la suegra que buscará, en competencia con la otra abuela, encontrar su propio lugar. Y así nace una nueva relación donde, si bien el punto de encuentro será el bebé recién nacido, se cimentarán nuevas conversaciones, anécdotas jamás contadas y experiencias distintas entre un nacimiento y otro.

Hasta aquí vemos esta nueva relación con un gran y positivo entusiasmo. Pero nada es sencillo y por cierto la realidad puede diferenciarse de nuestras expectativas.

Hoy, las mujeres de clase media suelen tener sus hijos después de los 30 años; esto implica que también ha cambiado la edad de los abuelos, lo que dificulta el soporte económico, emocional y práctico. Las diferencias generacionales son difíciles de sobrellevar. Las abuelas son más grandes, se cuidan y cuidan a sus parejas, tienen una vida social más activa, por lo que no suele ser sencillo, como tiempo atrás, ayudar a la hija. En la actualidad, ser *baby-sitter* de un nieto puede ser algo a lo cual se rehúsen de manera explícita. No quieren, no gustan, no tienen tiempo. Por ello más de una vez he escuchado frases como "con mis padres o mis suegros... no puedo contar".

Las formas de crianza se han modificado con el tiempo, quizás no en lo sustancial pero sí en relación con ciertas ideas (alimentación, aseo, sueño, jugar con los niños) que pueden no coincidir con lo hecho por nuestras madres. Así es como la convivencia entre una abuela, una nueva mamá y un bebé puede convertirse en un lugar de disputas y no en un espacio de solidaridades.

Las nuevas formas de crianza hacen hincapié en que los padres deben cimentar una rápida y efectiva relación con sus hijos desde un principio, con lo cual los abuelos quedan bastante marginados de esta relación. La intimidad de padres-bebés no puede ser violada por los naturales deseos de los abuelos de estar con sus nietos. El deseo fluctúa entre querer a los abuelos o bien cerca o bien lejos. La solución a esta disyuntiva es más sencilla para quienes tienen una buena relación y lo contrario para quienes, en cambio, viven permanentemente una relación áspera con sus madres.

No obstante, no se trata solo de "llevarse bien o mal" sino de que la presencia de la abuela o el abuelo sea útil. Recordemos que las mujeres puérperas necesitan ayuda concreta para llevar adelante una vida con su nuevo hijo –y ni hablar si ya tienen otros–.

Así y todo, la presencia de una madre adquiere una relevancia fundamental en estos momentos. Aquellas mujeres cuyos hijos nacieron cuando su madre ya no estaba me han llamado la atención sobre este hecho; creo que ninguna ha dejado de mencionar esta falta, este extrañar, este vacío. Compartir con la madre, aun cuando implique peleas o escaramuzas, suele ser un aspecto fundamental en este momento de la vida.

LA SUEGRA

Si las cosas no son fáciles con la madre, menos aun lo serán con la suegra, quien debe lidiar o competir con otros tres: su hijo, su nuera y su consuegra. Lo cierto es que los suegros también se sienten en parte dueños de esta nueva situación y con seguridad tratarán de ayudar. La suegra opinará, contará sus experiencias, y algunas veces, aun se sentirá más libre en la expresión de sus sentimientos que la propia abuela materna. Debo admitir que si bien el común de la gente o el imaginario popular encuentra que, luego del nacimiento de un bebé, la relación nuera-suegra será aun más explosiva, a partir de lo que me han contado las nuevas mamás a través de los años puedo decir que con la llegada de un nieto esta relación suele mejorar significativamente. Las mujeres encuentran en sus suegras otra mujer con experiencia, otra mujer vivida, otro estilo familiar de vida, y sin los nudos que vienen de antaño con las personas de la propia familia. Si no es así, habrá que hacer un gran esfuerzo para revertirlo, puesto que los abuelos de uno y otro lado serán muy importantes en la formación de la personalidad y de la biografía de nuestros hijos.

Los hermanos devenidos tíos....

Esta es una caja de Pandora. Cada uno hará lo que pueda y en parte dependerá de la edad, de sus propios proyectos, de sus expectativas, de si ya tienen o no hijos, y así se verá en el día a día cómo se acoplan a este nuevo nacimiento. Los hay presentes y los hay ausentes. También dependerá de la actitud para incorporarlos a la vida de nuestros hijos, adjudicarles roles, prestárselos y usarlos como *baby-sitters*. No nacimos para cuidar sobrinitos, pero eso no quiere decir que no podamos aprender.

Por lo tanto...

- Papá, mamá y bebé no están solos: son muchas las personas que interactuarán con ellos de manera positiva, negativa, sencilla o conflictiva, y que integrarán este nuevo escenario.
- Ya desde el embarazo, es bueno empezar a imaginar situaciones, percibir conductas de los demás, buscar alianzas, y someterse a la única forma que tiene la vida de ser vivida: el ensayo y el error.
- Un bebé trae nuevas amigas y distancia "viejas" amistades, sobre todo si no tienen hijos.
- Las salidas no serán las de antes, ya sea que salga acompañada de su hijo o lo haya dejado en casa al cuidado de alguien. Su cabeza en ningún caso estará tranquila.
- Las vacaciones deben ser planificadas en función del bebé y no de las preferencias de los padres. Bebé tranquilo, madre medianamente tranquila. Bebé fastidiado, mamá colapsada.

CAPÍTULO 10

¿Y CUÁNDO EL PRÓXIMO HIJO?

Antes de analizar el momento adecuado para tener otro niño, es importante preguntarnos por qué tenemos hijos. Quién no se habrá sentido movilizado por la soledad que dejan ver ciertas mujeres sin hijos, por los denodados esfuerzos que hacen algunas de ellas que no logran tener un hijo de manera natural, ante la necesidad de afirmar que somos fértiles, o como forma de expresar el amor al traerlos a este mundo, habida cuenta de que somos amantes de la vida y estamos, en algunos casos, convencidos de que vivir es mejor que no haber nacido, aun en circunstancias desfavorables.

El deber ser, los mandatos familiares y sociales, también son un fuerte motor que nos lleva a querer formar nuestra propia familia, imitando el ejemplo vivido, o modificándolo en parte o por completo. Es probable que la mayoría ni siquiera se lo cuestione, como si hubiese un orden natural: al noviazgo le sigue el casamiento; al casamiento los hijos, y así sucesivamente, hasta lograr la tan ansiada familia propia.[1]

---

1. No me refiero aquí a los que han perdido prematuramente sus padres, a los "pupilos", a los abusados de distintas maneras, a los abandonados. Cada una de estas y otras tantas difíciles situaciones de la niñez tiene una problemática particular y un enfoque diferente al que pretendemos en este libro.

Las sociedades cambian

En la clase media, cada día son menos frecuentes las familias numerosas; cada día frecuentamos menos a nuestros parientes y familiares, vivimos en lugares alejados de nuestros padres por motivos de trabajo o en la búsqueda de espacios distintos a los urbanos para vivir. Las mamás son cada vez menos jóvenes y lo mismo vale para los abuelos. La escolaridad es a doble turno, no siempre como una necesidad cognitiva sino como un simple "depósito de niños". Antes las casas eran grandes y los espacios permitían la tenencia de muchos hijos. Las escuelas públicas brindaban una oferta educativa razonable. No había aún tanta pauta de consumo y las expectativas eran la educación y el trabajo para los varones y la educación y el casamiento para las mujeres. Los cambios tecnológicos han modificado nuestra forma de convivencia, nuestra forma de comunicarnos, nuestro consumo y nuestras expectativas. Antaño, las madres educaban a sus hijos; hoy, con enormes dificultades, se espera de los padres una actitud similar y una dedicación igual de eficiente. Llevarse bien con los hijos, entenderlos, darles su espacio, permitir que se expresen, que manejen su propia libertad, no condicionarlos, nunca fue tan importante como en nuestros días. La psicología, hoy, es la primera herramienta a la que apelamos frente a distintas dificultades que puedan tener nuestros hijos en su crecimiento.

Las modificaciones entre generaciones son abismales y cincuenta años atrás eran impensables.

Algunos hablan del mundo VICA (volátil, incierto, complejo y ambiguo). Por ello la naturaleza del trabajo irá exigiendo nuevas habilidades. En un futuro próximo habrá más "viejos" −como nunca antes en la humanidad− y menos hijos; los hábitos laborales irán cambiando −mayor cantidad de *home office*−, y el intercambio, el enriquecimiento a través de las redes sociales y seguramente el bienestar −sin definiciones precisas en su significado− serán las metas de los jóvenes.

Tener menos hijos nos traerá nuevos problemas. Hoy la tasa de natalidad de Europa es de 1,2 hijos por familia. Para mantener la actual fuerza laboral se requiere de una tasa de natalidad de 2,1 hijos por familia. Cómo se resolverá este problema en el futuro es una gran incógnita.

Ni bueno ni malo... las sociedades cambian.

CADA VEZ MENOS HIJOS

Para algunos, el hecho de que cada vez haya menos hijos es un descalabro. Para otros, no es ni más ni menos que una opción. Elección que, entre otros motivos, puede hacerse gracias a la posibilidad que ofrece una anticoncepción efectiva, propia de la clase media, pero aún vedada a las clases carenciadas de nuestra sociedad. Pensemos que en la antigüedad y aun recientemente, los hijos no eran ni más ni menos que la expresión y el motivo de un matrimonio. Nadie se preguntaba el porqué, tan solo se procreaba. La vida sexual tenía poco de lúdica pero mucho de reproductiva y una mujer podía pasar años y años embarazada.

Los pobres tienen más hijos que los ricos; probablemente no lo deseen, pero es así como se ven las cosas. La interpretación de esta diferencia es compleja y depende de múltiples factores, pero lo cierto es que las mujeres de clase media no han puesto la maternidad en el centro de sus proyectos. La mujer de hoy estudia y trabaja durante no menos de 12 a 20 años; enorme esfuerzo para luego confinarse en una casa a criar niños y "atender" al marido. Esta disminución en la tasa de natalidad de la clase media también encuentra su explicación en el creciente salario que tienen las mujeres de acuerdo al trabajo que desarrollan. Ganar bien implica una mejor casa, mejores salidas, mejores viajes, mejores vacaciones, la posibilidad de seguir estudiando y perfeccionándose, mejor confort. Los hijos, en cambio, quitan tiempo, limitan el espacio y el ocio, modifican las aspiraciones propias de una sociedad de consumo. Las mujeres compiten con el hombre en distintos aspectos y campos de la sociedad; esta competencia es ardua pero casi imposible si la mujer tiene uno o más hijos.

La nueva generación, que se muestra incomprendida, vive con la TV las 24 horas, cable, *video games*, computadora y sus referentes pertenecen al *show business* o al deporte; se sienten ciudadanos del mundo. ¿Cómo tener hijos en este contexto, donde la rapidez de las respuestas debe ser casi inmediata?

Se ha triplicado la tasa de divorcio y hay una falta de confianza en las instituciones y en el resto de las personas, por lo que, ante las frustraciones propias de la vida cotidiana, se pasa rápidamente de la euforia a la depresión. Vivir "como yo quiero", trabajar "en lo que quiero" y "en lo que me gusta" es la meta. Nuevamente: ¿cómo tener hijos en este contexto?

EL PERJUICIO DE PERTENECER A LA CLASE MEDIA

Esta somera descripción de la mujer de hoy la muestra, por un lado, exitosa y competitiva, pero en la intimidad sumida en pensamientos ambivalentes. No todas son ganancias para ella.

La edad también tiene su importancia. Es obvio que la edad reproductiva de las mujeres no ha cambiado y hoy, en nuestras maternidades de clase media, aproximadamente, 1 de cada 3 mujeres tiene 35 años o más al momento de su primer hijo. Esta situación no es gratuita: casi 3 de cada 100 niños son fruto de una fertilización asistida, cuya primera –pero no única– explicación es la disminución de la fertilidad cuanto más adulta es la mujer.

La edad no es la única ambivalencia. Hasta ahora, solo las mujeres en pareja podían tener hijos. Sin embargo, cada día es más frecuente encontrar mujeres –y también hombres– que tienen hijos sin necesidad de una pareja estable.

Algunas, incluso, se someten a una fertilización asistida con espermatozoides de un donante anónimo.

Otras simplemente deciden no tener hijos. La mala suerte, la soledad, la edad o su propia voluntad las lleva a esta decisión. Son mujeres cuestionadas, y en muchos casos, estigmatizadas, por la mayoría de sus allegados. En mi caso, les tengo una enorme admiración por lo dificultosa que debe resultarles llevar adelante esta situación.

Así es como traer –o no– un hijo al mundo, inexorablemente tiene sus pro y sus contras.

¿CUÁNDO TENERLO?

Desaconsejo que sea en lo inmediato. Algunas lo prefieren así, considerando que lo ideal es tener todos los niños uno atrás del otro, de manera tal de hacer una inversión temporal de crianza para luego poder recuperar su vida privada. No tengo cómo festejar este tipo de decisiones y sí encuentro, con todo respeto, muchas críticas o advertencias hacia este modelo. Si tener un hijo con pañales ha sido el motivo de este libro, tener dos hijos con pañales puede ser propio de un tratado de psiquiatría –dicho esto, obviamente, con humor–. La esperanza de recuperar la vida privada, que con un hijo recién se concreta a los dos años, con dos niños con pañales, se pasa directamente a los cuatro años. En estos casos, la libertad para elegir se restringe totalmente y las consecuencias pueden ser las no esperadas. Además, la inversión de tiempo en el cuidado de un niño, que en los primeros dos años –según afirman psicólogos, psicopedagogos y pediatras– es fundamental, al sumar un nuevo bebé, se limita de manera considerable.

Si desean espaciar la llegada de otro niño en un tiempo más prolongado, por ejemplo cinco o seis años, de manera tal de tener la mejor dedicación hacia el niño, hacia la pareja y hacia el trabajo, no tengo críticas salvo una, que es muy personal pero que puede ser de suma utilidad a la hora de decidir. Tengo la idea, no fundada, de que el segundo hijo tiene una significación distinta al primero. El primer bebé vino para demostrar nuestra fertilidad; el segundo viene con el mandato de ser hermanito del primero, para que este no sea un hijo único. El problema es que si el segundo aparece a los cinco años, usted podrá decir que tiene dos hijos, pero ellos se sentirán hermanos recién cuando tengan 20 y 15, 25 y 20 ó 30 y 25 años. Difícilmente un niño de 6 años juegue con su hermanito recién nacido, o un niño de 10 años juegue con su hermano de 4 años. Por ello me atrevería a sugerir que, si hemos de tener un segundo hijo como hermanito de un primero, el mismo debería llegar a los 2 años. En estos casos hay, con los perjuicios propios de cada edad y rol, un hermano mayor y un hermano menor. El mayor tendrá sus amigos, el menor tendrá los suyos. Uno irá a quinto grado, y el otro a tercero. Pero cuando se encuentren juntos y sin agregados de foráneos, no tengo dudas de que van a jugar, se van a pelear, van a crecer juntos y los roles de cada uno servirán para la maduración propia y la de su hermano.

Por lo tanto...

- Es importante reflexionar sobre por qué queremos tener hijos.
- El cliché de que lo hacemos como un acto de amor no se sostiene con facilidad.
- Una buena anticoncepción luego de un nacimiento es fundamental para la crianza del bebé, para la salud de la mujer y para la de la pareja.
- ¿Hay un mayor riesgo con la edad? Es probable, pero la decisión de tener un hijo no depende de los riesgos biológicos sino de la ternura y de otros aspectos concretos que son necesarios para el sustento del proyecto.

EPÍLOGO

¿Hemos llegado al final? Del libro, sin dudas; no así de la vida de una mujer que ha experimentado un embarazo, un nacimiento y la llegada de un hijo. A lo largo de estas páginas, he pretendido dar cuenta de ciertos aspectos relacionados con la maternidad, con el objeto de ayudar a todos los involucrados a mirar esta experiencia con otros ojos. Aspectos que, por ancestrales, por heredados y naturalizados, tienen hoy una fuerte vigencia en el discurso y en la representación social, y afectan el cotidiano de madres, padres y parejas.

Cabe preguntarme cuán justo es haber escrito un libro en el que vuelco pensamientos e inquietudes que la mayoría de las personas rechazarían de plano. Los fundamentos que encuentro para justificarme hacen pie en algunos hechos pragmáticos.

En principio, todo lo aquí escrito me lo han enseñado las mujeres a las que he asistido durante sus embarazos y luego de los nacimientos. Carezco de la ternura que ellas esperan de un obstetra, pero eso no quiere decir que no las escuche con atención ni las acompañe en ese período: muchas me han planteado cierta angustia, cierta disconformidad con lo que viven, cierta insatisfacción. Queda claro que, más allá de quienes están convencidas de que el embarazo es el mejor estado o la mejor etapa de sus vidas, a una gran mayoría le ocurre lo contrario.

Esto me lleva a pensar que una cosa son los mitos y otra, muy distinta, la realidad. El discurso meloso con que la sociedad habla del embarazo y el nacimiento no suele coincidir con la vivencia de mujeres devenidas madres. ¿Cómo es posible, entonces, que esto ocurra, y qué consecuencias tiene? Surge aquí la segunda cuestión. Ante esta divergencia, muchas mujeres optan por el peor de los caminos: sufrir en silencio, no compartir la angustia, transitar este período en soledad.

Hasta ahora, estos temas se han abordado sobre la base de la oposición embarazo deseado y/o programado *versus* embarazo no buscado. A las claras, el primero sería mejor que el segundo, pero lo cierto es que, independientemente de las sensaciones del inicio, la mayoría de las mujeres llega con enormes expectativas al nacimiento y con un bebé absolutamente asumido como una realidad y no como una equivocación. Esta manera de ver las cosas termina siendo simplista, cuando no irreal. Habría que repensar, entonces, todo lo referido a este tema para tratar de entender cuáles son los supuestos básicos que comparte la sociedad en torno al embarazo, el parto y la maternidad, pues los conflictos surgen de ahí. Enumeraré algunos de estos supuestos, referidos todos a la enorme dificultad que existe:

- entre ser mujer y ser madre;
- entre ser "buena" o "mala" madre, y lo que esto significa;
- en considerar un hijo como la condición natural y obvia de una pareja o de un matrimonio;
- en creer que una mujer, para *ser* mujer, debe tener hijos;
- en el menosprecio y la desvaloración que padecen aquellas mujeres que deciden no tenerlos;
- en la decisión de posponer una maternidad para afianzar otros proyectos personales;
- en que la mujer solo es feliz si su hijo lo es;

- en el "mandato bíblico" de tener hijos para prolongar la especie;
- en lo "natural" que resulta tener hijos y en los riesgos no vistos que esta naturalización conlleva;
- en creer que la naturaleza no se equivoca;
- en pensar que si el embarazo es algo natural, cómo no lo va a ser también el parto;
- en ver la operación cesárea como "artificial";
- en creer que los bebés nacidos por cesárea son "peores" que los que nacen por parto natural;
- en considerar natural a la lactancia, por el solo hecho de que las mujeres tienen mamas;
- en pensar que una lactancia satisfactoria debe durar dos años, según lo recomendado por Unicef y la Organización Mundial de la Salud, así como por toda la pediatría moderna;
- en alinearse a la idea –compartida por ambas organizaciones– que define las maternidades como "amigas del bebé" (¿es que acaso las hay enemigas?);
- en estar convencidos de que el primer contacto y la primera mirada con un recién nacido es determinante para el futuro emocional de ese niño;
- en creer que cualquier conflicto que surja durante la crianza será resuelto por el instinto maternal;
- en no dudar que tener hijos es un acto de amor (¿hacia quién?);
- en pensar que una mujer en su casa es mejor que una en el trabajo;
- en no abandonar la vida personal, como el trabajo u otras actividades, y dejar el hijo al cuidado de otro, como si lo estuviera "abandonando";
- en priorizar a los hijos antes que a la pareja, sin proponerse un equilibrio;
- en sostener que el hombre debe cuidar a la mujer y esta, a su bebé;
- en dejar atrás a la pareja para formar una familia;

- en imaginar que la intimidad de una pareja, solapada durante este período, será aún mejor después de un nacimiento;
- en creer que una vez que ha nacido el bebé… ya está (¿ya está qué cosa?);
- en no comprender que el nacimiento de una hijo provoca un vuelco extraordinario en la vida de las personas;
- en no pensar porqué hay tantas separaciones en las parejas luego de un nacimiento;
- en no tener en cuenta que la relación con amigos y familiares, así como la dinámica familiar interna, cambiará sustancialmente;
- en tratar de coordinar con parientes que prometieron ayuda, pero no lo pueden realizar...

Por todos estos motivos, y habiendo omitido otros tantos, el nacimiento de un hijo modifica de manera notable la vida de una mujer y de una madre.

Por supuesto, no es necesario estar de acuerdo con cada una de las ideas aquí expresadas, pero sí planteárselas como preguntas que se presten al diálogo y a la reflexión. En ese sentido, la idea de este libro es invitar a todos los interesados al debate, con el objeto de encontrar una posible respuesta a la medida de cada mujer o de cada pareja.

Que estas páginas, entonces, sirvan para la reflexión. Que nos devuelvan, como en un espejo, nuestra imagen transitando esos momentos de la vida tan intensos como dificultosos. Que nos ayuden a prevenir los problemas que se presentan día a día en nuestras parejas, y de los cuales –vaya uno a saber los motivos– nadie nos habla.

Por suerte, todos los temas aquí tratados quedan abiertos e inconclusos. Esto, precisamente, es lo que nos permitirá seguir reflexionando en el tiempo. La dinámica de nuestros días así lo impone.

Gracias por su lectura.